U0239594

元讀書堂本《素問》（下）

主　編◎錢超塵
副主編◎王育林　劉　陽

《黃帝內經》版本通鑒
第一輯

北京科学技术出版社

《黄帝内經》版本通鑒·第二輯

元讀書堂本《素問》（下）

解題　劉陽

新刊黄帝内經素問卷二十

啓玄子次註林億孫奇高保衡等奉敕校正孫兆重改誤

氣交變大論　五常政大論

○氣交變大論篇第六十九

新校正云詳此論專明氣交之變乃五運大過五氣德化政令災變勝復爲病之事

黄帝問曰五運更治上應天朞陰陽往復寒暑迎隨眞邪相薄内外分離六經波蕩五氣傾移大過不及專勝兼并願言其始而有常名可得聞乎朞三百六十五日四分日之一也專勝謂五運主歲太過也兼并謂主歲之不及也常名謂布化於太虛人身參應病之形診也○新校正云按天元紀大論云五運相襲而皆治

之終朞之日周而復始又云五氣運行各終朞日大始天元冊文曰萬物資始五運終天即五運更治上應天朞之義也岐伯稽首再拜對曰昭乎哉問也是明道也此上帝所貴先師傳之臣雖不敏往聞其旨言非己心之所知所聞先人往古受傳之遺旨也帝曰余聞得其人不教是謂失道傳非其人慢泄天寶余誠菲德未足以為至道然而衆子哀其不終願夫子保於無窮流於無極余司其事則而行之柰何至道者非傳之難非行之難行之難聖人慈念蒼生同居永壽而辱身降志請受於天師太上貴德故後己先人苟非其人則道無虛授黃帝欲仁慈惠遠博文流行尊道下身揔乎黎庶乃曰余司其事則而行之也岐伯曰請遂言之也上經曰

夫道者上知天文下知地理中知人事可以長久此之謂也夫道者上無不包細無不入故天文地理人事藏通○新校正云詳夫道者一節與著至教論文重帝曰何謂也岐伯曰本氣位也位天者天文也位地者地理也通於人氣之變化者人事也故太過者先天不及者後天所謂治化而人應之也三陰三陽司天司地以表定陰陽生化之紀是謂位天位地也五運居中司人氣之變化故曰通於人氣也先天後天謂生化氣之變化所主時也太過歲化先時至不及歲化後時至帝曰五運之化太過何如大過謂歲氣有餘也○新校正云詳大過五化具五常政大論中岐伯曰歲木大過風氣流行脾土受邪木餘故土氣卑屈民病飧泄食減

體重煩寃腸鳴腹支滿上應歲星飧泄謂食不化而下出也
脾虛故食減體重煩寃腸鳴腹支滿也歲木太盛歲星光明逆守星屬分皆災也○新校正
云按藏氣法時論云脾虛則腹滿腸鳴飧泄食不化甚則忽忽善怒眩冒
巔疾凌犯大甚則遇於金故目病○新校正云按玉機眞藏論云肝脉大過則令人善怒
忽忽眩冒巔疾為肝實而然則此病不獨木大過遇金自病肝实亦自病化氣不
政生氣獨治雲物飛動草木不寧甚而搖落反
脇痛而吐甚衝陽絶者死不治上應大白星諸陽
歲也木餘土抑故不能布政於萬物也生氣木氣也大大過故獨治而生化也風不務德非分而
動則大虛之中雲物飛動草木不寧動而不止金則勝之故甚則草木搖落也脇反痛木乗土
也衝陽胃脉也木氣勝而土氣乃絶故死也金復而大白逆守屬星者危也其災之發害於東

方人之以應則先害於脾後復肝也書曰滿招損此其類也○新校正云詳此大過二化言星之例有二木与土運先言歲鎮後言勝已之星火与金運先言熒惑大白次言勝已之星後再言熒惑大白水運先言辰星次言鎮星後再言辰星兼見已勝之阜也歲火大過炎暑流行金肺受邪火不以德則邪害於金若以德行則政和平也民病瘧少氣欬喘血溢血泄注下嗌燥耳聾中熱肩背熱上應熒惑星少氣謂氣少不足以息也血泄謂泄利便血也血溢謂血上出於七竅也注下謂水利也中熱謂胷心中也背者胷中之府肩接近之故胷心中及肩背熱也火氣大盛則熒惑光芒逆臨宿屬分皆災也○新校正云詳火盛而剋金寒熱交爭故為瘧按藏氣法時論云肺病者欬喘肺虛者少氣不能報息耳聾嗌乾甚則胷中痛脇支滿脇痛膺背肩胛間痛兩臂內痛新校正云按藏

氣法時論云心病者胸中痛脇支滿脇下痛膺背肩甲間痛兩臂內痛身熱骨痛而爲浸淫火无德令縱熱害金水爲復讎故火自病○新校正云按玉機真藏論云心脉太過則令人身熱而膚痛爲浸淫此云骨痛者誤也收氣不行長氣獨明雨水霜寒今詳水字當作冰上應辰星金氣退避火氣獨行水氣折之故雨零冰雹及偏降霜寒而殺物也水復於火天象應之辰星逆凌及寒災於物也占辰星者常在日之前後三十度其災發之當至南方在人之應則內先傷肺後反傷心○新校正云按五常政大論云雨水霜寒作雨冰霜雹上臨少陰少陽火燔焫水泉涸物焦槁新校正云按五常政大論云赫曦之紀上徵而收氣後又六元正紀大論云戊子戊午太徵上臨少陰戊寅戊申太徵上臨少陽臨者太過不及皆曰天符病反譫妄狂越欬喘息鳴下甚血溢泄不已大

淵絕者死不治上應熒惑星諸戊歲也戊午戊子歲少陰上臨戊寅戊申歲少陽上臨是謂天符之歲也太淵肺脈也火勝而金絕故死火既太過又火熱上臨兩火相合故形斯候熒惑逆犯宿屬皆危○新校正云詳戊辰戊戌歲上見太陽是謂天刑運故當盛而不得盛則火化減半非太過又非不及也歲土太過雨濕流行腎水受邪上无德乃尒民病腹痛清厥意不樂體重煩冤上應鎮星腹痛謂大腹小腹痛也清厥謂足逆冷也意不樂如有隱憂也土來刑水天象應之鎮星逆犯宿屬則災○新校正云按藏氣法時論云腎病者身重腎虛者大腹小腹痛清厥意不樂甚則肌肉萎足痿不收行善瘈脚下痛飲發中滿食減四支不舉脾土肌肉外應四支又其脉起於足中指之端循核骨內側斜出絡跗故病如是○新校正云按藏氣法時論云脾病者身重

善肌肉萎足不收行善瘈脚下痛又玉機眞藏論云脾太過則令人四支不舉變生得位新校正云詳大過五化獨此言變生得位者舉一而四氣可知也又以土王時月難知故此詳言之也藏氣伏化氣獨治之泉涌河衍涸澤生魚風雨大至土崩潰鱗見于陸病腹滿溏泄腸鳴反下甚而大谿絕者死不治上應歲星諸甲歲也

得位謂季月也藏水氣也化土氣也土化大過故水藏伏匿而化氣獨治土勝木復故風雨大至水泉涌河渠溢乾澤生魚濕甚矣風又鼓之故土崩潰土崩潰謂垣頹岸仆山落地入也河溢泉涌枯澤水滋鱗物豐盛故見于陸也大谿腎脉也土勝而水絕故死木來折土天象逆臨加其宮應可憂也○新校正云按藏氣法時論云脾虛則腹滿腸鳴飧泄食不化歲金大過燥氣流行肝木受邪金暴虐乃尔民病兩脇

下少腹痛目赤痛眥瘍耳無所聞兩脇謂兩乳下脇之下也少腹謂齊下兩傍髎骨內也目赤謂白睛色赤也也痛謂瘮痛也眥謂四際瞼睫之本也瞼音檢肅殺而甚則體重煩冤胷痛引背兩脇滿且痛引少腹上應太白星金氣已過肅殺又甚木氣內畏感而病生金盛應天太白明大加臨宿屬必受災眚○新校正云按藏氣法時論云肝病者兩脇下痛引少腹肝虛則目䀮䀮无所見耳无所聞又玉機真藏論云肝脉不及則令人胷痛引背下則兩脇胠滿甚則喘欬逆氣肩背痛尻陰股膝髀腨䯒足皆病上應熒惑星火氣復之自生病也天象示應在熒惑逆加守宿屬則可憂也○新校正云按藏氣法時論云肺病者喘欬逆氣肩背痛汗出尻陰股膝髀腨䯒足皆痛收氣峻生氣下草木斂蒼乾凋隕病反暴痛胠脇

不可反側新校正云詳此云反暴痛不言何時痛者按至真要大論云心脇暴痛不可反側則此乃心脇暴痛也欬逆甚而血溢大衝絶者死不治上應太白星諸庚歲也金氣峻虐木氣後刑火未來復則如是也歎謂已生枝葉斂附其身也大衝肝脉也金勝而木絶故死當是之候太白應之逆守星屬病者危也○新校正云按庚子庚午庚寅庚申歲上見少陰少陽司天是謂天刑運金化減半故當盛而不得盛非大過又非不及也歲水大過寒氣流行邪害心火水不務德暴虐乃然民病身熱煩心躁悸陰厥上下中寒譫妄心痛寒氣早至上應辰星悸心跳動也譫亂語也妄妄見聞也天氣水盛辰星瑩明加其宿屬災乃至○新校正云按陰厥在後金不及復則陰厥有治甚則腹大脛腫喘欬寢汗出憎風新校正云按藏氣法時論云腎

病者腹大脛腫喘欬身重寢汗出憎風而詳大過五化木言化氣不政生氣獨治火言收氣不行長氣獨明土言藏氣伏長氣獨治金言收氣峻生氣下水當言藏氣乃盛長氣失政今獨亡者闕文也

大雨至埃霧朦鬱上應鎮星

水盛不已為土所乘故彰斯候埃霧朦鬱上之氣腎之脉從足下上行入腹從腎上貫肝鬲入肺中循喉嚨故生是病腎為陰故寢則汗出而憎風也陰寢汗出即其病也夫土氣勝折水之強故鎮星明盛昭其應也

上臨太陽雨冰雪霜不時降濕氣變物

新校正云按五常政大論云流衍之紀上羽而長氣不化又六元正紀大論云丙辰丙戌大羽上臨太陽臨者大過不及皆曰天符

病反腹滿腸鳴溏泄食不化

新校正云按藏氣法時論云脾虛則腹滿腸鳴飧泄食不化

渴而妄冒神門絕者死不治上應熒惑辰星

諸丙歲也丙辰丙戌歲大陽上臨是謂天符之歲也

寒氣大甚故雨化爲冰雪雨冰則雹也霜不時降彰其寒也七復其水則大雨霖霪濕氣內深故物皆濕變神門心脉也水盛而火絕故死水盛大甚則熒惑減曜辰星明瑩加以逆守宿屬則危亡也○新校正云詳大過五化獨記火水之二臨者火臨火水臨水爲天符故也火臨水爲逆水臨木爲順火臨土爲順水臨土爲運勝天火臨金爲天刑運水臨金爲逆更不詳出也文此獨言上應熒惑辰星舉此一例餘從而可知也帝曰善其不及何如謂政化少也○新校正云詳不及五化具五常政大論中岐伯曰悉乎哉問也歲木不及燥廼大行清冷時至加之薄寒是謂燥氣燥金氣也生氣失應草木晚榮後時之謂失應也肅殺而甚則剛木辟著柔萎蒼乾上應太白星天氣凄滄日見朦昧謂雨非雨晴非晴人意慘然氣象凝斂是爲肅殺甚也剛勁硬也辟著謂辟著枝莖乾而不落也柔耎也蒼

青也柔木之葉青色不變而乾卷也木氣不及金氣乘之太白之明光芒而照其空也

民病中清胠脇痛少腹痛腸鳴溏泄涼雨時至上應太白星

新校正云按不及五化民病證中上應之星皆言運星失色畏星加臨宿屬為災此獨言畏星不言運星者經文闕也當云上應太白星歲星

其穀蒼

金坒氣乘木肝之病也乘虛氣者腸中自鳴而溏泄也涉木騭少腹之痛疾也歲者蓋之甚者止之遷至之氣亦自止也遇秋之氣而後有之秋雨時至溫應時而至也金土齊化故涼雨俱行火氣來復則雲雨少金氣勝木太白臨之加其宿屬分皆災也金勝畢歲火氣不復則蒼色之穀不成實也○新校正云詳中清胠脇痛少腹痛為金乘木肝病之狀腸鳴溏泄乃脾病之證蓋以木少脾土無畏侮反受邪之故也

上臨陽明生氣失政草木再榮化氣迺急上應太白鎮星其主蒼早

諸丁歲也丁卯丁酉歲陽

明上臨是謂天刑之歲也金逆歲承天下勝於木故生氣失政草木再榮生氣失政故木華晚啓金氣抑木故秋夏始榮結實成熟以化氣急速故晚結成就也金氣勝木天應同之故太白之光芒明盛木氣從少十氣無制故化氣生長急速木少金勝天氣應之故鎮星大白潤而明也蒼色之物又早凋落木少金乘故也○新校正云按不及五化獨紀木上臨陽明土上臨厥陰水上臨大陰不紀木上臨厥陰土上臨大陰金上臨陽明者經之旨各記其甚者也歲於大過運中只言火臨火水臨水此不及運中只言木臨金土臨木水臨土故不言厥陰臨木大陰臨土陽明臨金也

復則炎暑流火濕性燥柔脆草木焦槁下體再生華實齊化病寒熱瘡瘍疿胗癰痤上應熒惑太白其穀白堅火氣復金夏生大熱故萬物濕性時變爲燥流火爍物故柔脆草木及蔓延之類皆上乾死而下體再生若辛熱之草死不再生也小熱

若死少火熱若死多火大後巳土氣間争則凉
雨降其酸苦辛醎皆寒之物乃再發生新開之
与先結者齊承化而成熟火復其金大白燥曜
熒惑上應則益光芒加其宿屬則皆災也以火
反復故白堅之
谷秀而不实
白露早降收殺氣行寒雨害物
蟲食甘黄脾土受邪赤氣後化心氣晚治上勝
肺金白氣廼屈其穀不成欬而鼽上應熒惑太
白星
陽明上臨金自用事故白露早降寒凉大
至則收殺氣行以大陽居上濕之位寒濕
相令故寒雨害物少於成实金行伐木假途於
土子居母内虫之象也故甘物黄物虫蠹食之
清氣先勝熱氣後復復已乃勝故火赤之氣後
生化也赤後化謂草木赤華及赤实者皆後時
而再榮秀也其五藏則心氣晚王勝於肺心滿
於肺則金之白氣乃强退也金谷稻也鼽鼻中
水出也金爲火勝天象應
同故太白芒減熒惑益明
歲火不及寒廼大行

長政不用物榮而下凝慘而甚則陽氣不化迺折榮美上應辰星火少水勝故寒乃大行長政不用則物容卑下火氣既少水氣洪盛天象出見辰星益明民病胷中痛脇支滿兩脇痛膺背肩胛間及兩臂內痛新校正云詳此證與火太過甚則反病之狀同旁見藏氣法時論鬱冒朦昧心痛暴瘖胷腹大脇下與腰背相引而痛新校正云按藏氣法時論云心虛則胷腹大脇下與腰背相引而痛甚則屈不能伸髖髀如別上應熒惑辰星其穀丹諸癸歲也寒以其脉行於是也火氣不行寒氣禁固髖髀如別屈不得伸水行乘火故熒惑芒減丹穀不成辰星臨其宿屬之分則皆災也復則埃鬱大雨且至黑氣迺辱病鶩溏腹滿食飲不下寒中腸鳴

泄注腹痛暴攣痿痺足不任身上應鎮星辰星玄穀不成埃鬱雲雨土之用也復寒之氣必以濕濕氣內淫則生腹疾身重故如是也黑氣水氣也辱屈辱也鶩鴨也土復於水故鎮星明潤臨犯宿屬則民受病災也鶩音木

歲土不及風迺大行化氣不令草木茂榮飄揚而甚秀而不實上應歲星木不德也木氣專行故化氣不令生氣獨擅故草木茂榮飄揚而甚是木不以德土氣薄少故物實不成不實謂粃惡也土不及木乘之故歲星之見潤而明也民病飱泄霍亂體重腹痛筋骨繇復肌肉瞤酸善怒藏氣舉事蟄蟲早附咸病寒中上應歲星鎮星其穀黅諸己歲也[illegible]皆故病如是土氣不及水當齊化故藏氣舉事蟄虫早附於陽氣之所人皆病中寒之疾也繇搖也筋骨搖動已復常

則己發復也土抑不伸若歲星臨宿屬則皆災○新校正云詳此文云筋骨繇復王氏注義不可解按至真要大論云筋骨繇併疑此復字併字之誤復則收政嚴峻名木蒼凋胷脇暴痛下引少腹善大息蟲食甘黄氣客於脾黅穀廼減民食少失味蒼穀廼損金氣復木故名木蒼凋金入於土母懷子也故甘物黄物虫食其中金入土中故氣客於脾金氣大來与土仇復故黅減実穀不成也上應太白歲星太白光盛歲藏明也一誤少此六字缺文上臨厥陰流水不冰蟄蟲來見藏氣不用白廼不復上應歲星民延康己巳己亥歲厥陰上臨其歲少陽在泉火司於地故蟄虫來見流水不冰也金不得復故歲星之象如常民康不病○新校正云詳木不及上臨陽明水不及上臨太陰俱後言復此先言復而後亦上臨之後者盖白乃不

復嫌於此年有復也歲金不及炎火迺行生氣迺用長氣
專勝庶物以茂燥爍以行上應熒惑星火不務德而襲
金危炎火既流則夏生大熱生氣舉用故庶物蕃茂燥爍氣至物不勝之燥勝之變石流金涸
泉焦草山澤燔燎雨乃不降炎火大盛也大象應之熒惑之見而大明也民病肩背
瞀重鼽嚏血便注下收氣迺後上應太白星其
穀堅芒諸乙歲也瞀謂悶也受熱邪故生是病收金氣也火先勝故收氣後火氣勝金
金不能盛若熒惑逆守宿屬之分皆受病○新校正云詳其穀堅芒白色可見故不云其穀白
也經云上應太白以前後例相照經脫熒惑二字及詳王注言熒惑逆守之事益知經中之闕
也復則寒雨暴至迺零冰雹霜雪殺物陰厥且
格陽反上行頭腦戶痛延及腦頂發熱上應辰

星新校正云詳不及之運尅我者行勝我者之子來復當來復之後勝星減曜復星明大此只言上應辰星而不言熒惑者闕文也當云上應辰星熒惑丹穀不成民病口瘡甚則心痛寒氣折火則見冰雹霜雪冰雹先傷而霜雪後積皆寒氣之常也其災害乃傷於赤化也諸不及而為勝所犯子氣復之者皆歸其方也陰厥謂寒逆也格至也亦推之也水行折火以熱困金天象應之辰星明熒赤色之穀為霜雹損之歲水不及濕乃大行長氣反用其化迺速暑雨數至上應鎮星濕大行謂數雨也化速謂物早成也火濕齊化故暑雨數至乘水不及而土勝之鎮星之象增益光明逆凌留犯其災甚矣民病腹滿身重濡泄寒瘍流水腰股痛發膕腨股膝不便煩冤足痿清厥腳下痛甚則胕腫藏氣不政腎氣不衡上應

辰星其穀秬藏氣不能申其政令故腎氣不能內致和平衡平也辰星之應當減其明或遇鎮星臨屬宿者乃災○新校正云詳經云上應辰星注言鎮星以前後例相校此經闕鎮星二字上臨大陰則大寒數舉蟄蟲早藏地積堅冰陽光不治民病寒疾於下甚則腹滿浮腫上應鎮星新校正詳木不及上臨陽明上應大白鎮星此獨言鎮星而不言熒惑者文闕也蓋水不及而又上臨大陰則鎮星明盛以應上氣專盛水既益弱則熒惑減明而大其主黅穀諸辛歲也辛丑辛未歲上臨大陰大陽在泉故大寒數舉也上氣專盛故鎮星益明黅穀應天歲成也復則大風暴發草偃木零生長不鮮面色時變筋骨併辟肉瞤瘛目視䀮䀮物疏璺肌肉胗發氣并鬲中痛於心腹黃氣迺損

其穀不登上應歲星不復其土故黃氣乃損而黅谷不登也謂實不成也以登祭言也木氣暴復歲星下臨宿屬分者災○新校正云詳此當云上應歲星鎮星臺音悶

帝曰善願聞其時也岐伯曰悉乎哉問也木不及春有鳴條律暢之化則秋有霧露清涼之政春有慘悽殘賊之勝則夏有炎暑燔爍之復其眚東化和氣也勝金氣也復火氣也火復於金悉因其木故災眚之作皆在東方餘眚同○新校正云按木不及先言春夏之化秋冬之政者先言木火之政化次言勝復之變也其藏肝其病內舍胠脇外在關節東方肝之主也

火不及夏有炳明光顯之化則冬有嚴肅霜寒之政夏有慘悽凝冽之勝則不時有埃昏大雨之復

其眚南化火德也勝水眚也復土變也南方火也其藏心其病內舍膺脇外在經絡南方心之主也土不及四維有埃雲潤澤之化則春有鳴條鼓拆之政四維發振拉飄騰之變則秋有肅殺霖霪之復其眚四維東南東北西南西北方也維隅也謂日在四隅月也○新校正云詳上不及亦小言政化次言勝復也其藏脾其病內舍心腹外在肌肉四支四維中央脾之主也金不及夏有光顯鬱蒸之令則冬有嚴凝整肅之應夏有炎爍燔燎之變則秋有冰雹霜雪之復其眚西其藏肺其病內舍膺脇肩背外在皮毛西方肺之主也水不及四維有湍潤埃雲之化則

不時有和風生發之應四維發埃昏驟注之變則不時有飄蕩振拉之復其眚北飄蕩振拉大風所作○新校正云詳金水不及先言火土之化令與應故不當秋冬而言北次言者火土勝復之變也與木火土之例不同者互文也其藏腎其病內舍腰脊骨髓外在谿谷踹膝肉之大會為谷肉之小會為谿肉分之間谿谷之會以行榮衞以會大氣夫五運之政猶權衡也高者抑之下者舉之化者應之變者復之此生長化成收藏之理氣之常也失常則天地四塞矣失常之理則天地四時之氣閉塞而无所運行故動必有靜勝必有復乃天地陰陽之道故曰天地之動靜神明之紀陰陽之往復寒暑彰其兆此之謂也

新校正云按彼曰已下与五運行大論同上兩句文与陰陽應象大論文重彼云陰陽之升降寒暑彰其兆也帝曰夫子之言五氣之變四時之應可謂悉矣夫氣之動亂觸遇而作發無常會卒然災合何以期之岐伯曰夫氣之動變固不常在而德化政令災變不同其候也帝曰何謂也岐伯曰東方生風風生木其德敷和其化生榮其政舒啓其令風其變振發其災散落敷布也和和氣也榮滋榮也舒展也啓開也振怒也發出也散謂物飄零而散落也○新校正云按五運行大論云其德為和其化為榮其政為散其令宣發其變摧拉其眚為隕義与此通南方生熱熱生火其德彰顯其化蕃茂其政明曜其令熱

其變銷爍，其災燔焫（新校正云：詳五運行大論云：其德為顯，其化為茂，其政為明，其令鬱蒸，其變炎爍，其眚燔焫。）中央生濕，濕生土，其德溽蒸，其化豐備，其政安靜，其令濕，其變驟注，其災霖潰（溽，濕也。蒸，熱也。驟注，急雨也。霖，久雨也。潰，爛泥也。○新校正云：按五運行大論云：其德為濡，其化為盈，其政為謐，其令雲雨，其變動注，其眚淫潰。謐音密。）西方生燥，燥生金，其德清潔，其化緊斂，其政勁切，其令燥，其變肅殺，其災蒼隕（緊，縮也。斂，收也。勁，銳也。切，急也。燥，乾也。肅殺，謂風動草樹聲若乾也。殺氣太甚，則木青乾而落也。○新校正云：按五運行大論云：其德為清，其化為斂，其政為勁，其令霧露，其變肅殺，其眚蒼落。）北方生寒，寒生水，其德淒滄，其化清謐，其政凝肅，其令寒，其變凓冽，其災冰雪霜雹。凄𠗦薄寒也，謐靜也，肅中外嚴整也。凓冽甚寒也，冰雪霜雹寒氣凝結所成，水復火則非時而有也。○新校正云：按《五運行大論》云：其德爲寒，其化爲肅，其政爲靜，其變凝冽，其眚冰雹。是以察其動也，有德有化，有政有令，有變有災，而物由之，而人應之也。夫德化政令和氣也，其動靜勝復，施於万物，皆悉生成；变与災殺氣也，其用暴速，其動驟急，其行損傷。雖皆天地自爲動靜之用，然物有不勝其動者，且損且病且死焉。帝曰：夫子之言歲候不及其太過而上應五星。今夫德化政令，災眚變易，非常而有也，卒然而動，其亦爲之變乎？岐伯曰：承天而行之，故無妄動，無不應也。卒然而動者，氣之交變也，其不應焉。故曰：應常不應卒，此之

謂也德化政令氣之常也災眚變易氣卒交會而有勝負者也常謂歲四時之氣不差晷
刻者不常不以大也帝曰其應奈何岐伯曰各從其氣化
也歲星之化以風應之熒惑之化以熱應之鎮星之化以濕應之大白之化以燥應之辰星
之化以寒應之氣變則應故各從其氣化也上文言復勝皆上應之今經言應常不應卒所謂
天大變易而不應然其勝復當色有枯燥潤澤之異无見小大以應之帝曰其行
之徐疾逆順何如岐伯曰以道留久逆守而小
是謂省下以道謂順行留久謂過應留之日數也省下謂察天下人君之有德有過
者也以道而去去而速來曲而過之是謂省遺過
也順行已去已去輙逆行而速委曲而經過是謂遺其過而輙省察之也行急行緩往多往少
蓋小謂罪之有大有按其遺而斷之久留而環或離或附是謂議

災與其德也壞謂如壞而遠盤迴而不去也火議罪金議殺土木水議德應近則小應遠則大近謂犯星常在遠謂犯星去久大小謂喜慶及罰罪事芒而大倍常之一其化甚大常之二其眚即也甚謂政令大行也發謂起也即至也金火有之小常之一其化減小常之二是謂臨視省下之過與其德也省謂省察萬國人吏侯王有德有過者也故侯王人吏安可不深思誠慎耶德者福之過者伐之有德者則天降福以應之有過者天降禍以淫之則知禍福無門惟人所召耳是以象之見也高而遠則小下而近則大是物之理也故大則喜怒邇小則禍福遠象見高而小既未即禍亦未即福象見下而大福既不遠禍亦未遠但當修德省過以候厥終苟未能甚禍而務求福祥豈有是者哉

歲運大過則運星北越火運火星木運木星之類也北越謂北而行也運氣相得則各行以道無尅伐之嫌故守常而各行於中道故歲運大過畏星失色而兼其母木失色而兼玄火失色而兼蒼土失色而兼赤金失色而兼黃水失色而兼白是謂兼其母也不及則色兼其所不勝木兼白色火兼玄色土兼蒼色金兼赤色水兼黃色是謂兼不勝也肖者瞿瞿莫知其妙閔閔之當孰者為良新校正云詳肖者至為良与靈蘭秘典論重複有注妄行無徵示畏侯三不識人意心私度之妄言災咎卒无徵驗適足以示畏之兆於侯王災或於庶民矣帝曰其災應何如岐伯曰亦各從其化也故時至有盛衰淩犯有逆順留守有多少形見有善惡宿屬有勝負徵

應有吉凶矣五星之至相王為時盛囚死為衰東行凌犯為順災輕西行凌犯為逆災重留守日多則災深留守日少則災淺星喜潤則為見善星怒燥憂喪則為見惡宿屬所生月之屬二十八宿及十二辰相分所屬之位也命勝星不災不害不勝星為災小重命与星相得雖災無害災者獄訟疾病之謂也雖五星凌犯之事時遇星之囚死時月雖災不成然火犯留守逆臨則有誣諸獄訟之憂金犯則有刑殺氣鬱之憂木犯則有震驚風鼓之憂土犯則有中滿下利臚腫之憂水犯則有寒氣衝穡之憂故曰徵應有吉凶也帝曰其善惡何謂也岐伯曰有喜有怒有憂有喪有澤有燥此象之常也必謹察之夫五星之見也從夜深見之人見之喜星之喜也見之畏星之怒也光色微曜乍明乍暗星之憂也光色迥然不彰不瑩不与衆同星之喪也光色圓明不盈不縮怡然瑩然星之喜也光色勃然臨人芒彩滿溢其象懔然星之怒也

澤洪潤也燥乾枯也帝曰六者高下異乎岐伯曰象見高
下其應一也故人亦應之觀象覩色則中外之應人天咸一矣帝
曰善其德化政令之動靜損益皆何如岐伯曰
夫德化政令災變不能相加也天地動靜陰陽往復以德報德
以化報化政令災眚及動復亦然故曰不能相加也勝復盛衰不能相多
也勝盛復盛勝微復微不應以盛衰微以化報變故曰不能相多也往來小大
不能相過也勝復日數多少皆同故曰不能相過也用之升降不
能相無也木之勝金必報火土金水皆然未有勝而无報者故氣不能相使无也
各從其動而復之耳動必有復察動以言復也易曰吉凶悔吝生乎動此
之謂也天雖高不可度地雖廣不可量以氣動復言之其猶御掌矣帝曰其病生

何如岐伯曰德化者氣之祥政令者氣之章變易者復之紀災眚者傷之始氣相勝者和不相勝者病重感於邪則甚也祥善應也章程也式也變易謂報復之綱紀也重感謂年氣已不及天氣又見剋殺之氣是爲重感重謂重累也帝曰善所謂精光之論大聖之業宣明大道通於無窮究於無極也余聞之善言天者必應於人善言古者必驗於今善言氣者必彰於物善言應者同天地之化善言化言變者通神明之理非夫子孰能言至道歟大過不及歲化無窮氣交遷變流於無極然天垂象聖人則之以知吉凶何者歲大過而星大或明瑩歲不及而星小或失色故吉凶可指而見也吉凶者何

謂物稟五常之氣以生成莫不上參應之有否有宜故曰吉凶斯至矣故曰善言天者必應於人也言古之道而今必應之故曰善言古者必驗於今也化化氣生成萬物皆稟故言氣應者以物明之故曰善言應者必彰於物也彰明也天氣位之應如四時行萬物備故善言應者必同天地之造化也物生謂之化物極謂之變言萬物化變終始必契於神明運為故言化變者通於神明之理聖人智周萬物無所不通故言必有發動無不應之也迺擇良兆而藏之靈室每旦讀之命曰氣交變非齋戒不敢發慎傳也靈室謂靈蘭室黃帝之書府也○新校正詳此文與六元正紀大論末同

○五常政大論篇第七十

新校正云詳此篇統論五運有平氣不及太過之事次言地理有四方高下陰陽之異又言歲有不病而藏氣不應為天氣制之而氣有所從之說仍言六氣五類相制

務而從之抑子不育之邪而後明在泉六氣五味有薄厚之異而以治法終之此篇之氣變如此而專名五常政大論者舉其所先者言也

黄帝問曰太虛寥廓五運迴薄衰盛不同損益相從願聞平氣何如而名何如而紀也岐伯對曰昭乎哉問也木曰敷和敷布和氣物以生榮火曰升明火氣高明土曰備化廣被化氣資於群品金曰審平金氣清審平而定水曰靜順水體清淨順於物也帝曰其不及柰何岐伯曰木曰委和陽和之氣委屈而少用也火曰伏明明曜之氣屈伏不伸土曰卑監土虛卑少猶監万物之生化也金曰從革從順革易水曰涸流水少故流注乾涸帝曰太過何謂岐伯曰木曰

發生宣發生氣萬物以榮火曰赫曦盛明也土曰敦阜敦厚也阜高也土餘故高而厚金曰堅成氣爽風勁堅成斂物水曰流衍衍泮衍也溢也帝曰三氣之紀願聞其候岐伯曰悉乎哉問也新校正云詳此論與五運行大論及陰陽應象大論金匱真言論相通敷和之紀木德周行陽舒陰布五化宣平自當其位不與物爭故五氣之化各布政令於四方無相干犯○新校正云按王注大過不及各紀年辰此平木運注不紀年辰者平氣之歲不可以定紀也或者欲補注云謂丁巳丁亥丁卯壬寅壬申歲者是未達也其氣端端直也莊也其性隨順於物化其用曲直曲直材幹皆應用也其化生榮木化宣行則物生榮而美其類草木木躰堅高草形卑下然各有堅脆剛柔蔓結條屈者其政發散春氣發散物稟以生木之化也其

候溫和和春之氣也其令風木之令行以和風其藏肝玉藏之氣與肝同肝其畏清清金令也木性暄故畏清五運行大論曰木其性暄又曰燥勝風其主目陽升明見目与同也其穀麻色蒼也○新校正云按金匱真言論云其穀麥與此不同其果李味酸也其實核中有堅核者其應春四時之中春化同其蟲毛木化宣行則毛蟲生其畜犬如草木之生无所避也○新校正云按金匱真言論篇云其畜雞其色蒼木化宣行則物浮蒼翠也其養筋酸入筋其病裏急支滿木氣所生○新校正云按金匱真言論云是以知病之在筋也其味酸木化敷和則物酸味厚其音角調而直也其物中堅象土中之有木也其數八成數也

升明之紀正陽而治德施周普五化均衡均等也衡平也其氣高火炎上

其性速火性躁疾其用燔灼灼燒也燔之與灼皆火之用其化蕃茂長氣盛故物大其類火五行之氣與火類同其政明曜德合高明火之政也其候炎暑氣之至也以是候之其令熱熱至乃行其藏心心氣應之心其畏寒寒水令也心性暑熱故畏寒五運行大論二云心其性暑又曰寒勝熱其主舌火以燭幽舌申明也其穀麥色赤也○新校正云按金匱真言論云其穀黍又藏氣法時論云麥也其果杏味苦也其實絡中有支絡者其應夏四時之氣夏氣同其蟲羽羽火象也火化日行故羽蟲生其畜馬健決躁速火類同○新校正云按金匱真言論二云其畜羊其色赤色同又明其養血其病瞤瘛火之性動也○新校正云按金匱真言論二云是以知病之在脈也瞤如勻切其味苦升明氣化則物苦味純其音徵和而美其物

脉中多支脈火之化也其數七成數也備化之紀氣協天休德流四政五化齊脩土之德静分助四方贊成金木水火之政土之氣厚應天休和之氣以生長收藏終而復始故五化齊脩其氣平土之生也平而正其性順應順羣品悉化成也其用高下田上高下皆應周也其化豐滿豐滿方物非土化不可也其類土五行之化土類同其政安靜土体厚土德静故政化亦然其候溽蒸溽濕也蒸熱也其令濕濕化不紀則土令延長其藏脾脾氣同脾其畏風風木令也脾性雖四氣兼并然其所主猶畏木也五運行大論云脾其性静兼又曰風勝濕其主口土体包容口主受納其穀稷色黃也〇新校正云按金匱真言論作稷藏氣法時論作稷其果棗味甘也其實肉中有肌肉者其應長夏長夏謂長養之夏也六月氣同〇新

校正云按王注藏氣法時論云夏爲土母土長
於中以長而治故云長夏又注六節藏象論云
所謂長夏者六月也土生於火長在夏中既長而王故云長夏其蟲倮无毛羽鱗甲土
形同其畜牛成彂稼穡土之用也牛之應用其緩而和其色黃土同也其
養肉所養者厚而靜其病否土性擁礙○新校正云按金匱眞言論云病在舌本
是以知病之在肉也其味甘備化氣豐則物味甘厚其音宮大而重其
物膚物稟備化之氣則多肌肉其數五生數也正土不虛加故也審平之
紀收而不爭殺而無犯五化宣明犯謂刑犯於物也收而不
爭殺而无犯匪審平之德何以能爲是哉其氣潔金氣以潔白瑩明爲事其性
剛性剛故摧拉於物其用散落金用則萬物散落其化堅斂收斂
堅強金之化也其類金審平之化金類同其政勁肅化急速而整肅也勁

發也其候清切清大凉也切急也風声也其令燥燥乾也其藏肺
肺氣之用同金化也肺其畏熱熱火令也肺性凉故畏火熱五運行大論曰肺其性
凉其主鼻肺藏氣鼻通息也其穀稻色白也○新校正云按金匱眞言論
作稻藏氣法時論作黍其果桃味辛也其實殼外有堅殼者其應
秋四時之化秋氣同其蟲介外被堅甲者其畜雞性善鬬傷象金用也
新校正云按金匱眞言論云其畜馬其色白色同也其養皮毛堅同也
其病欬有声之病金之應也○新校正云按金匱眞言論云病在背是以知病之在皮
毛也其味辛審平化洽則物辛味正其音商和利而揚其物外堅
金化宣行則物體外堅其數九成數也靜順之紀藏而勿害
治而善下五化咸整治化也水之性下所以德全江海所以爲百谷王者

以其善下之也其氣明清靜明照水氣所生其性下歸流於下其用沃衍用非靜事故沫生而流溢沃沫也衍溢也其化凝堅藏氣布化則水物凝堅其類水靜順之化水同類其政流演井泉不竭河流不息則流演之義也其候凝肅凝寒也肅淨也寒來之氣候也其令寒水令宣行則寒司物化其藏腎腎藏之用同水化也其畏濕濕土氣也腎性凜故畏土濕五運行大論曰腎其性凜其主二陰流注應同○新校正云按金匱真言論曰北方黑色入通於腎開竅於二陰其穀豆色黑也○新校正云按金匱真言論及藏氣法時論同其果栗味鹹也其實濡中有津液也其應冬四時之化冬氣同其蟲鱗鱗水化生其畜彘善下也彘豕也其色黑色同也其養骨髓氣入骨也其病厥厥氣逆上也倒行不順也○新校正云按金匱

（眞言論云病在谿是以知病之在骨也）其味鹹（咸味同也）其音羽（泄泄而和）其物濡（水化豐洽庶物濡潤）其數六（成數也）故生而勿殺長而勿罰化而勿制收而勿害藏而勿抑是謂平氣（生氣主歲收氣不能縱其殺長氣主歲藏氣不能縱其罰化氣主歲生氣不能縱其制收氣主歲長氣不能縱其害藏氣主歲化氣不能縱其抑夫如是者皆天氣平地氣正五化之氣不以勝尅爲用故謂曰平和氣也）

故委和之紀是謂勝生（丁卯丁丑丁亥丁未丁酉丁巳之歲）生氣不政化氣廼揚（木少故生氣不政土寬故化氣廼揚）長氣自平收令廼早（火無忤犯故長氣自平木氣既少故收令乃早）涼雨時降風雲並興（涼金化也雨濕氣也風木化也雲濕氣也）草木晚榮蒼乾凋落（金氣有餘木不能勝故也○新校正云詳委和之紀木不及而

金氣乘之故蒼乾凋落非金氣有餘木不能勝也蓋木不足而金勝之也物秀而實
膚肉內充歲生雖晚成者滿实土化氣速故如是其氣斂收斂兼金之氣故
其用聚不布散也其動緛戾拘緩緛縮短也戾了戾也拘拘急也緩不
收也其發驚駭木屈卒伸驚駭象也其藏肝內應肝其果棗李
棗土李木实也○新校正云詳李木实也按火土金水不及之果李當作桃王注非其
實核殼核木殼金主其穀稷稻金土穀也其味酸辛味酸之物
熟隷辛也其色白蒼蒼色之物熟兼白也其畜犬雞犬從金畜其蟲
毛介毛從介其主霧露淒滄金之氣也其聲角商角從商
其病搖動注恐木受邪也從金化也木不自政故化從金少角
與判商同少角木不及故半与商金化同判半也○新校正云按火土金水之文判

徵少則凡當二少角與少商同不云少商者蓋少角之運其有六年而丁巳丁亥上角與正角同丁卯丁酉上商與正商同丁未丁丑上宮與正宮同見六年者各有所同與火土金水之少

運不同故不云同少商只大約而言半從商化也 上角與正角同 上見厥陰

與數和歲化同謂丁亥丁巳歲上之所見者也 上商與正商同 上見陽明則與

平金歲化同丁卯丁酉歲上見陽明 其病支發癰腫瘡瘍 金刑木也 其

甘蟲 子在母中 邪傷肝也 雖化悉與金同然其所傷則歸於肝木也 上宮

與正宮同 上蓋其木與未出笋也木未出土與无木同土自用事故與正土運歲化

同也上見太陰是謂上宮丁丑丁未歲上見太陰司天之化也 蕭飋肅殺則炎

赫沸騰 蕭飋肅殺金无德也炎赫沸騰火之後也飋音瑟 眚於三 火為木復

故其眚在東三東方也此言金之淫勝也〇新校正云按六元正紀大論云災三宮 所謂

復也復報復也其主飛蠹蛆雉飛羽蟲也蠹內生蟲也蛆蠅之生者此則
物內自化爾雉鳥耗也迺爲雷霆雷謂大聲生於太虛雲暝之中也霆謂迅雷卒
如火之爆者即霹靂也伏明之紀是謂勝長藏氣勝長也謂癸酉癸未
癸巳癸卯癸丑癸亥之歲也長氣不宣藏氣反布火之長氣不能施化
故水之藏氣反布於時收氣自政化令迺衡金土之義与歲氣素无干
犯故金自行其政土自平其氣寒清數舉暑令迺薄火氣不用故承
化物生生而不長火令不政故承化生之物皆不長也成實而稚
遇化已老物實成熟苗尚稚短及遇化氣未長極而氣已老矣陽氣屈伏
蟄蟲早藏陽不用而陰勝也若上臨癸卯癸酉歲則蟄反不藏○新校正云詳癸巳
癸亥之歲蟄亦不藏其氣鬱鬱遲不舒暢其用暴速也其動彰伏

變易彰明也伏隱也變易謂不常其象見也其發痛痛由心所生其藏
心歲運之氣通於心其果栗桃栗水桃金果也其實絡濡絡支脉也
濡有汁也其穀豆稻豆水稻金穀也其味苦鹹苦兼鹹也其色玄
丹色丹之物熟兼玄也其畜馬彘火從水畜其蟲羽鱗羽從鱗其
主冰雪霜寒水之氣也其聲徵羽徵從羽其病昏惑悲
忘火之燥動不拘常律陰冒陽火故昏惑不治心氣不足故喜悲善忘也從水化
也火弱水強故伏明之紀半從水之政化少徵與少羽同火少故半從水
化○新校正云詳少徵運六年內癸酉癸卯同正商癸巳癸亥同歲會外癸未癸丑二年少徵
与少羽同故不云判羽羽也上商與正商同歲上見陽明則与平金歲化同也癸
卯及癸酉歲上見陽明○新校正云詳此不言上宮上角者蓋宮角於火无大尅伐故經不備

言之卯傷心也受病者心凝慘凓冽則暴雨霖霪凝慘凓冽水先德也暴雨霖霪土之復也青於七七南方也○新校正云按六元正紀大論云災七宮其主驟注雷霆震驚天地氣爭而生是變氣交之內害及災盛及傷鱗類沈黔淫雨沈黔淫雨濕變所生也黔音陰又音令卑監之紀是謂減化謂化氣減少己巳己卯己丑己亥己酉己未之歲也化氣不令生不相干犯政獨彰土少而木專其用長氣整雨𩄞愆收氣平則平整化氣減故雨愆期風寒並興草木榮美風木也寒水也土少故寒氣得行生氣獨彰故草木敷榮而端美秀而不實成而粃也榮秀而美氣生於木化氣不滿故物實中空是以粃惡其氣散氣不安靜木且乘之從木之風故施散也其用靜定雖不能專政於時物然或率用則終歸土德而靜定其動

瘍涌分潰癰腫瘍瘡也涌嘔也分裂也潰爛也癰腫膿瘡也其發濡

滯土性也濡濕也其藏脾土藏病其果李栗李木栗水果也其實

濡核濡中有汁者核中堅者○新校正云詳前後濡實主水此濡字當作肉王注亦非

其穀豆麻豆水麻木穀也其味酸甘甘味之物熟兼酸也其色蒼

黃色黃之物外兼蒼也其畜牛犬土畜木畜其蟲倮毛倮蟲毛其

主飄怒振發木之氣用也其聲宮角宮從角其病留滿

否塞土氣擁礙故從木化也不勝故從他化少宮與少角同

土少故半從木化也○新校正云詳少宮之運六年內除己丑己未與正宮同己巳己亥與正

角同外有己卯己酉二年少宮與少角同故不云判角也上宮與正宮同上見

大陰則與平土運生化同也己丑己未其歲見也上角與正角同上見厥陰

則悉是敷和之紀也己亥己巳其歲見也其病飧泄風之勝也邪傷脾也縱諸氣金病即自傷脾○新校正云詳此不言上商者土與金死相就伐哉盛不紀之也又注云衆諸氣金病即自傷脾也金字疑誤振拉飄揚則蒼乾散落振拉飄揚木死德也蒼乾散落金之後也其眚四維東南西南西北東北土之位也○新校正云按六元正紀大論云災五宮其主敗折虎狼虎狼猴豺豹麂馬獐麑諸四足之獸害於殺盛及生命也麑音兒清氣迺用生政迺辱金氣行則木氣孫從華之紀是謂折收火折金收之氣也謂乙丑乙亥乙酉乙未乙巳乙卯之歲也收氣迺後生氣迺揚後不及將也收氣不餘以時而行則生氣自應布揚而與之也長化合德火政迺宣庶類以蕃火土之氣同生化也宣行也其氣揚燥火也其用躁切火縱後用用則

切慈陰火躁也其動鏗禁瞀厥鏗鼓声也禁謂二陰禁止也瞀悶也厥謂氣上
逆也鏗音坑瞀音冒其發欬喘欬金之有声喘肺藏氣也其藏肺土藏病
其果李杏李木杏火果也其實殼絡外有殼內有支絡之實也其穀
麻麥麻木麥火穀也麥色赤也其味苦辛苦味勝辛辛兼苦也其色白
丹赤加白也其畜雞羊金從火土之兼化也○新校正云詳火畜馬土畜牛今言
羊故王注云從火土之兼化為羊也或者當去注中之土字甚非其蟲介羽介從
羽其主明曜炎爍火之勝也其聲商徵商從徵其病嚏
欬鼽衄金之病也從火化也火氣來勝故金已以從之少商與少
徵同金少故半同火化○新校正云詳少商運六年內除乙卯乙酉同正商乙巳乙亥
同正角外乙丑乙未二年為少商同少徵故不云判徵也上商與正商同上見

陽明則与平金運生化同乙卯乙酉其歲上見也上角與正角同上見厥陰則与平木運生化同乙巳乙亥其歲上見也○新校正云詳金土无相勝尅故經不言上宮与正宮同也邪傷肺也有邪之勝則歸肺炎光赫烈則冰雪霜雹炎光赫烈火无德也冰雪霜雹水之復也水復之作雹形如半珠○新校正云詳注云雹形如半珠半字疑誤眚於九九西方也○新校正云按六元正紀大論云災九宮其主鱗伏彘鼠突戾潛伏歲主纖之以傷赤實及羽類也歲氣早至廼生大寒水之化也涸流之紀是謂反陽陰氣不及反爲陽氣代之謂辛未辛巳辛卯辛酉辛亥辛丑之歲也藏令不舉化氣廼昌少水而土盛長氣宣布蟄蟲不藏太陽在泉經文背也厥陰陽明司天乃如經謂也土潤水泉減草木條茂榮秀滿盛長化之氣豐而厚也

其氣滯從上也其用滲泄不能流也其動堅止謂便寫也水少不濡則乾而堅止藏氣不能固則注下而奔速其發燥槁陰少而陽盛故爾其藏腎主藏病也其果棗杏棗土杏火果也其實濡肉濡水肉土化也其穀黍稷黍火稷上穀也○新校正云按本論上文麥爲火之穀今言黍者疑麥字誤爲黍也雖金匱眞言論作黍然本論作麥當從本論之文也其味甘鹹甘入於鹹味甘美也其色黅玄黃加黑也其畜犦牛水從土畜其蟲鱗倮鱗從倮其主埃鬱昏翳土之勝也其聲羽宮羽從宮其病痿厥堅下水土參并故如是從土化也不勝於土故從能化少羽與少宮同水土各半化也○新校正云詳少羽之運六年內除辛丑辛未與正宮同外辛卯辛酉辛巳辛亥四歲爲同少宮故不言判宮也上宮與正宮同上見

大陰則与平土運生化同辛丑辛未歲上見之○新校正云詳此不言上角上商者蓋水火金木火相尅伐發也其病癃閟癃小便不通閟大便乾澁不利也邪傷腎也邪勝則歸腎埃昏驟雨則振拉摧拔埃昏驟雨土之靈也振拉摧拔木之復也眚於一一北方也諸謂方者國郡州縣境之方也○新校正云按六元正紀大論云災一宮其主毛顯狐狢變化不藏毛顯謂毛蟲麋鹿麞麂猯兔虎狼顯見傷於黄實蔾宮倮蟲之長也變化謂爲魅狐狸當之不藏謂害粢盛鼠猯兔狸絡當之所謂毛顯不藏也猯他端切故乘危而行不速而至暴虐無德災反及之微者復微甚者復甚氣之常也通言五行氣少而有勝復之大凡也乘彼孤危恃乎強盛不召而往專肆威形怨禍自招又誰咎也假令木弱金氣來乘暴虐蒼卒是无德也木被金害火必讎之金受火燔則災及也夫如

是者刑甚則復甚，微則復微。氣動之常，固其宜也。五行之理，咸迭然乎。○新校正云：按五運不及之詳，具氣交變大論中。

發生之紀，是謂啓敕。物乘木氣以發生，而啓敕其容質也。是謂壬申、壬寅、壬子、壬午、壬辰、壬戌之六歲化也。敕一作陳字。土疏泄，蒼氣達。生氣上達，是故上體疏泄。木之專政，故蒼氣上達。達，通也，出也，行也。陽和布化，陰氣乃隨。少陽先生，發於万物之表；厥陰次隨，營運於万象之中也。生氣淳化，萬物以榮。歲木有餘，金不來勝，生令布化，故物以舒榮。其化生，其氣美，木化宣行，則物容端美。其政散，布散生榮，無所不至。其令條舒，條，直也，理也；舒，啓也。端直舒啓，万物隨之，發生之化，無非順理者也。其動掉眩巔疾，掉，搖動也。眩，旋轉也。巔，上首也。疾，病也。○新校正云：詳王不解其動之義。按後敦阜之紀，其動濡積并穡，王注云：動謂變動。又堅成之紀，其動暴折瘍疰，王注云：動以生病。

蓋謂氣既變動因動以生病也則木火土水金
之動義皆同也又按王注脈要精微論
云巔疾上巔疾也又注奇病論云巔謂上巔則
頭首也此注云上也疾病氣也氣字為衍也
其德鳴靡啓拆風氣所生○新校正云按六元正紀大論云其化鳴紊啓拆
其變振拉摧拔振謂振慜拉謂中折摧謂仆落拔謂出本○新校正按六元正
紀大論同其穀麻稻木化齊金其畜雞犬齊雞孕也其果李桃
李齊桃實也其色青黃白青加於黃白自正也其味酸甘辛酸入
於甘辛齊化也其象春如春之氣布散陽和其經足厥陰少陽厥陰
肝脉少陽膽脉其藏肝脾肝勝脾其蟲毛介木餘故毛齊介育其
物中堅外堅中堅有核之物齊等於皮殼之類也其病怒木餘故大
角與上商同大過之木氣与金化齊等新校正云按大過五運獨大角言与上商

同餘四運並不言者疑此文爲衍上徵則其氣逆其病吐利上見少陰少陽則其氣逆行壬子壬午歲上見少陰壬寅壬申歲上見少陽木餘遇火故氣不順○新校正云按五運行大論云氣相得而病者以下臨上不當位也下云上羽者水臨木爲相得故也不務其德則收氣復秋氣勁切甚則肅殺清氣大至草木凋零邪乃傷肝持己大過凌犯於土土氣屯極金爲復讎金行殺令故邪傷肝木也赫曦之紀是謂蕃茂物遇大陽則蕃而茂是謂戊辰戊寅戊子戊戌戊申戊午之歲也○新校正云按或云注中大陽當作大徵詳木土金水之大過注俱不言角商宮羽等運而水大過注云陰氣大行此火大過是物遇大陽也安得謂之大徵乎陰氣內化陽氣外榮陰陽之氣得其序也炎暑施化物得以昌長氣多故不其化長其氣高長化行則物容大高

氣達則物色明其政動革易其象不常也其令鳴顯火之用而有聲火之
燔而有焔象无所隱則其信也顯露也其動炎灼妄擾妄謬也擾撓也其
德暄暑鬱蒸熱化所生長於物也○新校正云按六元正紀大論云其化暄囂鬱燠
燠又作暄曜其變炎烈沸騰勝復之有極於是也其穀麥豆火齊
水化也其畜羊彘齊孕育也○新校正云按本論上文馬爲火之畜今言羊者疑
馬字誤爲羊金匱真言論及藏氣法時論俱作羊然本論作馬當從本論之文也其果
杏栗等實也其色赤白玄赤色加白黑自正也其味苦辛鹹
辛物兼苦去鹹化齊成也其象夏炳夏氣之熱也其經手少陰太陽
少陰心脈太陽小腸脈手厥陰少陽厥陰心包脈少陽三焦脈其藏心
肺心勝肺其蟲羽鱗火餘故鱗羽齊化其物脈濡脈火物濡水物

水火之齊並〇新校正云詳脉即絡也文雖殊而義同其病笑瘧瘡瘍血流狂妄目赤火盛故上羽與正徵同其收齊其病痓上見太陽則天氣且制故大過之火反与平火運生化同也戊辰戊戌歲上見之皆平火運同則五常之氣无相凌犯故金收之氣生化同等上徵而收氣後也上見少陰少陽則其生化自收金氣不能与之齊化戊子戊午歲上見少陰戊寅戊申歲上見少陽火盛故收氣後化〇新校正云按氣交變大論云歲火太過上臨少陰少陽火燔焫水泉涸物焦槁暴烈其政藏氣迺復時見凝慘甚則雨水霜雹切寒邪傷心也不務其德輕侮致之也〇新校正云按氣交變大論云雨冰霜寒与此互文也敦阜之紀是謂廣化土餘故化氣廣被於物也是謂甲子甲戌甲申甲午甲辰甲寅之歲也厚德清靜順長以盈土性順用无与

物爭故德厚而不躁順火之長育使萬物化氣盈滿也至陰內實物化充成至陰土精氣也夫萬物所以化成者皆以至陰之靈氣生化於中也煙埃朦鬱見於厚土厚土山也煙埃土氣也大雨時行濕氣迺用燥政迺辟燥氣用則燥政辟自然之理爾其化圓其氣豐化氣豐圓以其清靜故也其政靜靜而能久故政常存其令周備氣緩故周緩其動濡積并稸動謂變動其德柔潤重淖靜而柔潤故重淖常存○新校正云按六元正紀大論云其化柔潤重澤其變震驚飄驟崩潰震驚雷霆之作也飄驟暴風雨至也大雨暴注則山崩土潰隨水流沒其穀稷麻土木齊化其畜牛犬齊孕育也其果棗李土齊木化其色黅玄蒼黃色加黑蒼色正也其味甘鹹酸甘入於鹹酸齊化也其象長夏六月之氣

生化同其經足太陰陽明太陰脾脉陽明胃脉其藏脾腎脾勝
腎其蟲倮毛土餘故毛倮齊化其物肌核肌土核木化也其病
腹滿四支不舉土性靜故病如是○新校正云詳此不云上羽上徵者徵羽下不
能勝盈於上故先化速也大風迅至邪傷脾也木盛怒故土脾傷堅
成之紀是謂收引引斂也陽氣收陰氣用故萬物收斂謂庚午庚辰庚寅庚
子庚戌庚申之歲也天氣潔地氣明秋氣高潔金氣同陽氣隨陰
治化陽順金而生化燥行其政物以司成燥氣行化萬物專司其成
熟無遺畧也收氣繁布化洽不終收殺氣早土之化不得終其用也○
新校正云詳此繁字疑誤其化成其氣削減削也其政肅肅清也靜
也其令銳切氣用不[illegible]勁切而急其動暴折瘍疰動以生病其

德霧露蕭飋燥之化也蕭飋風聲也靜爲霧露用則風生○新校正云按六元正紀大論蕭作化其變肅殺凋零隕墜於物其穀稻黍金火齊化也○新校正云按本論上文麥爲火之穀當言其穀稻麥其畜雞馬齊孕育也其果桃杏金火齊實其色白青丹白加於青丹自正也其味辛酸苦辛入酸苦齊化其象秋氣爽清潔如秋之化其經手太陰陽明大陰肺脉陽明大腸脉其藏肺肝肺勝肝其蟲介羽金餘故介羽齊育其物殼絡殼金絡火化也其病喘喝胷憑仰息金氣餘故上徵與正商同其生齊其病欬上見少陰少陽則天氣且抑故其生化與平金歲同庚子庚午歲上見少陰庚寅庚申歲上見少陽上火制金故生氣與之齊化火乘金肺故病欬○新校正云詳此不言上羽者水與金非相勝剋故政暴變則名

木不榮柔脆焦首長氣斯救大火流炎爍且至蔓將槁邪傷肺也變謂大甚也政大甚則主氣抑故木不榮草首焦死政暴不已則火氣發怒故火流炎爍至柔條蔓草流脆之類皆乾死也火乘金氣故肺氣傷也

流衍之紀是謂封藏陰氣大行則天地封藏之化也謂丙寅丙子丙戌丙申丙午丙辰之歲也寒司物化天地嚴凝陰之氣也藏政以布長令不揚藏氣用則長化止故令不發揚其化凜其氣堅寒氣及物則堅定其政謐謐靜也其令流注水之象也其動漂泄沃涌沃沫也涌溢也其德凝慘寒雰寒之化也○新校正云按六元正紀大論作其化凝慘栗冽其變冰雪霜雹非時而有其穀豆稷水齊土化其畜彘牛齊孕育也其果栗棗水土齊實其色黑丹黅黑加黃於丹

黄自正也其味鹹苦甘鹹入於苦甘化齊焉其象冬氣亨凝肅以冬之化其經足少陰大陽少陰腎脉大陽膀胱脉其藏腎心腎勝心其蟲鱗倮水餘故鱗倮齊育其物濡滿濡水滿土化也○新校正云按土不及作肉土大過作肌此作天下相成也其病脹水餘也上羽而長氣不化也上見大陽則天不能布化以長養也丙辰丙戌之歲上見天符水運守○新校正云按氣交變大論云上臨大陽則雨水雪霜不時降濕氣變物不去上臨者運所勝也政過則化氣大舉而埃昏氣交大雨時降邪傷腎也暴寒數舉是謂政過火被水凌土來抗復故天地昏翳土水氣交大雨斯降而邪傷腎也故曰不恒其德則所勝來復政恒其理則所勝同化此之謂也不恒謂恃已有餘凌犯不勝恒謂守常之化不肆威刑如

可足則智巳之氣歲同治化也新校正云詳五運太過之說具氣交變大論中帝曰天不足西北，左寒而右涼，地不滿東南，右熱而左溫，其故何也向異言也岐伯曰陰陽之氣，高下之理，大小之異也高下謂地形大小謂陰陽之氣盛衰之異今中原地形西北方高東南方下西方涼北方寒東方溫南方熱氣化猶然矣東南方陽也，陽者其精降於下，故右熱而左溫陽精下降故地氣以溫而知之於下矣陽氣生於東而盛於南故東方溫而南方熱氣之多少明矣西北方陰也，陰者其精奉於上，故左寒而右涼陰精奉上故地以寒而知之於上矣陰氣生於西而盛於北故西方涼而北方寒君面巽而言臣面乾而對也○新校正云詳天地不足陰陽之說亦具陰陽應象大論中是以地有高下，氣有溫涼高者氣寒下者氣熱新校正云按六元正紀大論云至高之地冬氣常在至下之地春氣常在故適寒涼者脹之温熱者瘡下之則脹已汗之則瘡已此湊理開閉之常太小之異耳西北東南言其大也夫以氣候驗之中原地形所居者悉以居高則寒處下則熱嘗試觀之高山多雪平川多雨高山多寒平川多熱則高下寒熱可徵見矣中華之地凡有高下之大者東西南北各三分也其一者自漢蜀江南至海也二者自漢江北至平遥縣也三者自平遥北山北至蕃界北海也故南分大熱中分寒熱兼半北分大寒南北分外寒熱尤極大熱之分其寒微大寒之分其熱微然而登陟極高山頂則南面北面寒熱懸殊榮枯倍異也又東西高下之別亦三矣其一者自汧源縣西至沙洲二者自開封縣西至汧源縣三者自開封縣東至滄海也故東分大温中分温凉兼半西分大凉大温之分其寒五分之二大凉之分其熱五分

之二溫涼分外溫涼尤極變為大暄大寒也約
其大凡如此然九分之地寒極於東北熱極於
西南九分之地其中有高下不同卑高然則溫
下然則煤此一方之中小異也若大而言之是
則高下之有二也何者中原地形西高北高東
下南下令百川蒲湊東之滄海則東南西北高
下可知一為地形高下故寒熱不同一則陰陽
之氣有少有多故表溫涼之異爾今以氣候驗
之乃春氣西行秋氣東行冬氣南行夏氣北行
以中分校之自開封介汧源氣候正与曆候同
以東行校之自開封至滄海每一百里秋氣至
晚一日春氣發早一日西行校之自汧源縣西
至蕃界磧石其以南向及西北東南者每四十
里春氣發晚一日秋氣至早一日北向及東北
西南者每一十五里春氣發晚一日秋氣至早
一日歷行校之月形有北向東北西南者每五
百里○新校正云按別本依十五里○陽氣行
晚一日陰氣行早一日南向及東南西比川每
一十五里熱氣至早一日寒氣至晚一日廣平
之地則每五十里陽氣發早一日寒氣至晚一

日北行校之川形有南向及東南西北者每二十五里陽氣行曉一日陰氣行早一日北向及東北西南川每二十五里寒氣至早一日熱氣至曉一日廣平之地則每二十里熱氣行晚一日寒氣至早一日大寒如此然高處峻處冬氣常在平處下處夏氣常在觀其雪零草茂則可知矣然地土固有弓形川蛇形川月形川地勢不同生殺榮枯地同而天異凡此之類有離向丙向巽向乙向震向處則春氣早至秋氣晚至早晚校十五日有丁向坤向庚向兌向辛向乾向坎向艮向處則秋氣早至春氣晚至早晚亦校二十日是所謂帶山之地也審觀向背氣候可知寒涼之地湊理開少而閉多閉多則陽氣不散故適寒涼腹必脹也濕熱之地湊理開多而閉少開多則陽氣發散故往溫熱皮必瘡也下之則中氣不餘故脹已汗之則陽氣外泄故瘡已

帝曰其於壽夭何如言土地居人之壽夭岐伯曰陰精所奉其人壽陽精所降其人夭陰精所奉高之地也陽精所降

下下之地也陰方之地陽不妄泄寒氣外持邪不數中而正氣堅守故壽延陽方之地陽氣耗散發泄無度風濕數中真氣傾竭故夭折即事驗之今中原之境西北方衆人壽東南方衆人夭其中猶各有微甚爾此壽夭之大異也異方者審之乎帝曰善其病也治之柰何岐伯曰西北之氣散而寒之東南之氣收而溫之所謂同病異治也西方北方人皮膚閉腠理密人皆食熱故宜散宜寒東方南方人皮膚踈腠理開人皆食冷故宜收宜溫散謂溫浴使中外條達收謂溫中不解表也今土俗皆反之依而療之則反甚矣○新校正云詳分方為治亦具異法方宜論中故曰氣寒氣涼治以寒涼行水漬之氣溫氣熱治以溫熱強其內守必同其氣可使平也假者反之寒方以寒熱方以熱溫方以溫涼方以涼是正法也是同氣也行水漬之

謂湯漫漬也平謂平調也若西方北方有冷病假熱方溫方以除之東方南方有熱疾須涼方寒方以療者則反上正法以取之帝曰善一州之氣生化壽夭不同其故何也岐伯曰高下之理地勢使然也崇高則陰氣治之汙下則陽氣治之陽勝者先天陰勝者後天先天謂先天時也後天謂後天時也悉言土地生榮枯落之先後也物既有之人亦如然此地理之常生化之道也帝曰其有壽夭乎岐伯曰高者其氣壽下者其氣夭地之小大異也小者小異大者大異大謂東南西北相遠万里許也小謂居所高下相近二十里三十里或百里許也地形高下懸倍不相計者以近爲小則十里二十里高下平慢氣相接者以遠爲小則三百里二百里地氣不同乃異也故治病

者必明天道地理陰陽更勝氣之先後人之壽夭生化之期乃可以知人之形氣矣不明天地之氣又昧陰陽之候則以壽爲夭以夭爲壽雖令上聖按生之道畢經脉藥石之妙猶未免世中之誣斥也帝曰善其歲有不病而藏氣不應不用者何也岐伯曰天氣制之氣有所從也從謂從事於彼不及營於私應用之帝曰願卒聞之岐伯曰少陽司天火氣下臨肺氣上從白起金用草木眚火見燔焫革金且耗大暑以行欬嚏鼽衄鼻窒曰瘍寒熱胕腫寅申之歲候也臨謂御於下從謂從事於上起謂價高於市用謂用行刑罰也臨從起用同之革謂皮革亦謂革易也金謂器屬也耗謂費用也火氣燔灼故曰生瘡瘡身瘡也瘍頭瘡也寒

熱謂先寒而後熱則瘧疾也肺爲熱害水且救之水守肺中故爲胕腫胕腫謂腫滿按之不起此天氣之所生也○新校正云詳注云故曰生瘡瘍身瘡也瘍頭瘡也今經只言曰瘍疑經脫一瘡字別本曰字作口

風行于地塵沙飛揚心痛胃脘痛厥逆鬲不通其主暴速厥陰在泉故風行于地風淫所勝故是病生焉少陽厥陰其化急速故病氣起發疾速而爲故云其主暴速此地氣不順而生是也○新校正云詳厥陰之少陽在泉言其主暴速其發機速故不言甚則某病也

陽明司天燥氣下臨肝氣上從蒼起木用而立土廼眚淒滄數至木伐草萎脇痛目赤掉振鼓慄筋痿不能久立卯酉之歲候也木用亦謂木功也淒滄大涼也此病之起天氣生焉暴熱至土廼暑陽氣鬱發小便變寒熱如瘧甚則心痛

火行于槁，流水不冰，蟄蟲廼見。少陰在泉，熱監于地而爲見也。病之所有，地氣生焉。大陽司天，寒氣下臨，心氣上從，而火且明，新校正云：詳火且明三字當作火用二字。丹起金廼眚，寒清時舉，勝則水冰，火氣高明，心熱煩，嗌乾善渴，鼽嚏，喜悲數欠，熱氣妄行，寒廼復，霜不時降，善忘，甚則心痛。辰戌之歲候也。寒清時舉，大陽之令也。火氣高明，謂燔灼於物也。不時潔天旱及備害，不循時令，不普及於物也。病之所起，天氣生焉。土廼潤，水豐衍，寒客至，沉陰化，濕氣變物，水飲內稸，中滿不食，皮𤸷肉苛，筋脈不利，甚則胕腫，身後癰。大陰在泉，濕盛于地而爲是也。病之源始，地氣生焉。新校正云：詳身後癰當作身後難。厥陰司天，風氣下臨脾氣上從而土且隆黃起水廼眚土用革體重肌肉萎食減口爽風行太虛雲物搖動目轉耳鳴巳亥之歲候也土隆土用革謂土氣有用而革易其躰亦謂土功事被雲物搖動是謂風高此病所生天之氣也火縱其暴地廼暑大熱消爍赤沃下蟄蟲數見流水不冰少陽在泉火監於地而爲是也病之宗兆地氣生焉其發機速少陽厥陰之氣變化卒急其爲疾病速若發機故曰其發機速少陰司天熱氣下臨肺氣上從白起金用草木眚喘嘔寒熱嚏鼽衄鼻窒大暑流行子午之歲候也埶司天天氣故是病生天氣之作也甚則瘡瘍燔灼金爍石流天之交也地廼燥淒滄數至脇痛善太息肅殺行草

木變變謂變易容質也脅痛太息也氣不出也太陰司天濕氣下臨腎氣上從黑起水變新校正云詳前後文此少火迺眚三字埃冒雲雨胷中不利陰痿氣大衰而不起不用新校正云詳不用二字當作水用當其時反腰脽痛動轉不便也丑未之歲候也水變謂甘泉變鹹也埃土霧也冒不分遠也雲雨土化也腫謂腐肉也病之有者天氣生焉厥逆新校正云詳厥逆二字疑當連上文地迺藏陰大寒且至蟄蟲早附心下否痛地裂冰堅少腹痛時害於食乘金則止水增味迺鹹行水減也止水井泉也行水洞渠流注者也止水雖長迺變常甘美而爲鹹味也病之有者地氣生焉○新校正云詳大陰司天之化不言甚則病某而云當其時又云乘金則云云者與前條互相發明也帝曰

歲有胎孕不育治之不全何氣使然岐伯曰六氣五類有相勝制也同者盛之異者衰之此天地之道生化之常也故厥陰司天毛蟲靜羽蟲育介蟲不成謂乙巳丁巳己巳辛巳癸巳乙亥丁亥己亥辛亥癸亥之歲也靜无声也亦謂靜退不先用事也羽爲火蟲氣同地也火制金化故介蟲不成謂白色有甲之蟲少孕育也在泉毛蟲育倮蟲耗羽蟲不育地氣制土黃倮耗損歲秉木運其又甚也羽蟲不育少陽自抑之是則五寅五申歲也凡稱不育不成皆謂少非悉无也少陰司天羽蟲靜介蟲育毛蟲不成謂甲子丙子戊子庚子壬子甲午丙午戊午庚午壬午之歲也靜謂胡越鷰白舌鳥之類也是歲黑色毛蟲孕育少成在泉羽蟲育介蟲耗不育地氣制金白介蟲不育歲秉火

運斯後甚焉是則五卯五酉歲也○新校正云詳介蟲耗以少陰在泉火剋金也介蟲不育以陽明在天自抑之也大陰司天倮蟲靜鱗蟲育羽蟲不成是謂乙丑丁丑己丑辛丑癸丑乙未丁未己未辛未癸未之歲也倮蟲者謂人及蝦蟇之類也羽蟲謂青綠色者則鸚鵡鴷鳥翠碧鳥之類諸青綠色之有羽者歲乘金運其復甚焉鴷音列在泉倮蟲育鱗蟲新校正云詳此少一耗字不成地氣制水黑鱗不育歲乘土運而又甚焉是則五辰五戌歲也少陽司天羽蟲靜毛蟲育倮蟲不成謂甲寅丙寅戊寅庚寅壬寅甲申丙申戊申庚申壬申之歲也倮蟲謂青綠色者也羽蟲謂黑色諸有羽翼者則越鷰百舌鳥之類是也在泉羽蟲育介蟲耗毛蟲不育地氣制金白介耗損歲乘火運其又甚也毛蟲不育天氣制之是則五巳五亥歲也陽明司天介蟲靜羽蟲育介蟲不成

謂乙卯丁卯己卯辛卯癸卯乙酉丁酉己酉辛
酉癸酉之歲也羽爲火蟲故畜育也介蟲諸有
赤色甲殼者也赤介不育天氣制之在泉介蟲育毛蟲耗羽蟲不
成地氣制木黑毛蟲耗歲乘金運損復甚焉是則五子五午歲也羽蟲不就以上見少陰也
太陽司天鱗蟲靜倮蟲育謂甲辰丙辰戊辰庚辰壬辰甲戌丙戌戊
戌庚戌壬戌歲也倮蟲育地氣同也鱗蟲靜謂
黃鱗不用也是歲雷霆少舉以天氣抑之也○
新校正云詳此當二云鱗蟲不成在泉鱗蟲耗倮蟲不育天氣制勝黃黑
鱗耗是則五丑五未歲也○新校正云詳此當
爲鱗蟲育羽蟲耗倮蟲不育注中鱗字亦當作
羽諸乘所不成之運則甚也乘木之運倮蟲不成乘火之運介蟲
不成乘土之運鱗蟲不成乘金之運毛蟲不成
乘水之運羽蟲不成當是歲者与上文同悉少
能孕育也斯並運与氣同者運乘其勝
復遇天符及歲會者十孕不全一二也故氣主

有所制歲立有所生地氣制己勝天氣制勝己
天制色地制形天氣隨己不勝者制之謂制其色也地氣隨己所勝者制之謂
制其形也故又曰天制色地制形焉是以天地之間五類生化互有所勝互有所生
互有所制五類衰盛各隨其氣之所宜也宜則蕃息故有
胎孕不育治之不全此氣之常也天地之間有生之物凡此
五類也五謂毛羽倮鱗介也故曰毛蟲三百六
十鱗爲之長羽蟲三百六十鳳爲之長倮蟲三
百六十人爲之長鱗蟲三百六十龍爲之長介
蟲三百六十龜爲之長凡諸有形蚑行飛走喘
息胎息大小高下青黃赤白黑身被毛羽鱗介
者通而言之皆謂之蟲矣不具是四者皆爲倮
蟲凡此五物皆有胎生卵生濕生化生因人致問言及五類也所謂中根也生氣
之根本發自身形之中中根也非是五類則生氣根系悉因外物以誠立法之則生氣絕矣

根于外者亦五謂五味五色類也然木火土金水之形類悉假外物色藏乃能生化外物既去則生氣離絕故皆是根于外故也○新校正云詳註中色藏二字當作已成

生化之別有五氣五味五色五類五宜也然是二十五者皆中根外悉有之五氣謂臊焦香腥腐也五味謂酸苦甘辛鹹也五色謂青黃赤白黑也五類有二矣其一者謂毛羽倮鱗介其二者謂燥濕液堅耎也夫如是等於万物之中互有所宜也

帝曰何謂也岐伯曰根于中者命曰神機神去則機息根于外者命曰氣立氣止則化絕諸有形之類根於中者生源繫天其所動浮皆神氣爲機發之主故其所爲也物莫之知是以神捨去則機發動用之道息矣根于外者生源繫地故其所生長化成收藏皆爲造化之氣所成立故其所出也物亦莫之知是以氣止息則生化結成之道絕滅矣其木火土金水燥濕液堅柔

絲榮性不易及乎外物去生氣離根化絶止則
其常躁性顯色皆必小變移其舊也○新校正
云按六微旨大論云出入廢則神機化滅升降
息則氣立孤危故非出入則无以生長壯老已
非升降則无以生長化收藏
故各有制各有勝各有生各有
成根中根外悉如是
故曰不知年之所加氣之同異不
足以言生化此之謂也新校正云按六節藏象論云不知年之所加氣
之盛衰虛實之所起不可以爲工矣
帝曰氣始而生化氣散而有
形氣布而蕃育氣終而象變其致一也始謂始發動散
謂流散於物中布謂布化於結成之形所終極
於收藏之用也故始動而生化流散而有形布
化而成結終極而萬象皆變也即事驗之天地
之間有形之類其生也柔弱其死也堅強凡如
此類皆謂變易生死之時形質是謂氣之終極
○新校正云按天元紀大論云物生謂之化物

極謂之變又六微旨大論云物之生從於化物之極由乎變變化相薄成敗之所由也然而五味所資生化有薄厚成熟有少多終始不同其故何也岐伯曰地氣制之也非天不生而地不長也天地雖无情於生化而生化之氣自有異同尓何者以地體之中有六入故也氣有同異故有生有化有不生有不化有少生少化有廣生廣化矣故天地之間无必生必化必不生必不化必少生少化必廣生廣化也各隨其氣分所好所惡所異所同也帝曰願聞其道岐伯曰寒熱燥濕不同其化也舉寒熱燥濕四氣不同則溫清異化可知之矣故少陽在泉寒毒不生其味辛其治苦酸其穀蒼丹巳亥歲氣化也夫毒者皆五行標盛暴烈之氣所為也今火在地中其氣正熱寒毒之物氣與地殊生死不同故生少也火制金氣故味

辛者不化也少陽之氣上奉厥陰故其歲化苦與酸也六氣主歲唯此歲通和木火相承故无間氣也苦丹地氣所化酸蒼天氣所生也餘所生化悉有上下勝剋故皆有間氣矣陽明在泉濕毒不生其味酸其氣濕新校正云詳在泉六化陽明與太陰在泉之歲云其氣濕其氣熱蓋以濕燥未見寒溫之氣故再云其氣也其治辛苦甘其穀丹素子午歲氣化也燥在地中其氣涼清故濕溫毒藥少生化也余木相制故味酸者少化也陽明之氣上奉少陰故其歲化辛與苦也辛素地氣也苦丹天氣也甘間氣也所以間金火之勝剋故兼治甘大陽在泉熱毒不生其味苦其治淡鹹其穀黅秬丑未歲氣化也寒在地中與熱殊化故其歲物熱毒不生水勝火味故當苦也大陽之氣上奉大陰故其氣化生淡鹹也大陰土氣上主於天氣遠而高故甘之化薄而為淡也所以淡亦屬甘甘之類也淡黅天化也鹹秬地化也黅黃也○新

新校正云詳注云味故當苦當作酸味苦者不化傳寫誤也

厥陰在泉清毒不生其味甘其治酸苦其穀蒼赤

寅申歲氣化也温在地中与清殊性故其歲物清毒不生木勝其土故味甘少化也厥陰之氣上合少陽所合之氣既无乗忤故其治化酸与苦也酸蒼地化也苦赤天化也氣无勝剋故不間氣以甘化也

其氣專其味正

厥陰少陽在泉之歲皆氣化專一其味純正然餘歲悉上下有勝剋之氣故皆有間氣間味矣

少陰在泉寒毒不生其味辛其治辛苦甘其穀白丹

卯酉歲氣化也熱在地中与寒殊化故其歲凜寒毒甚微火氣爍金故味辛少化也少陰陽明主天主地故其所治苦与辛焉苦丹爲地氣所育白辛爲天氣所生甘間氣也所以間止尅伐也

大陰在泉燥毒不生其味鹹其氣熱其治甘鹹其穀黅秬

辰戌歲氣化也地中有濕与燥不同故乾

毒之物不生化也上制於水故味鹹少化也大陰之氣上承大陽故其歲化甘與鹹也甘黅地化也鹹在天化也寒濕不爲大忤故間氣同而氣熱者應之化淳則鹹守氣專則辛化而俱治淳和也化淳謂少陽在泉之歲也火來居水而反能化育是水鹹自守不與火爭化也氣專謂厥陰在泉之歲也木居于水而復下化金不受害故辛復生化與鹹同王上並宜此兩歲上下之氣無尅伐之嫌故辛得與鹹同應王而生化也餘歲皆上下有勝尅之變故其中間其味兼化以緩其制抑餘苦鹹酸三味不同其生化也故天地之間藥物辛甘者多也故曰補上下者從之治上下者逆之以所在寒熱盛衰而調之上謂司天下謂在泉也司天地氣大過則逆其味以治之司天地氣不及則順其味以和之從順也故曰上取下取內取外取以求其過能毒者以厚藥不勝毒者以

薄藥此之謂也上取謂以藥制有過之氣也制而不順則吐之下取謂以迅疾之藥除下病攻之不去則下之內取謂食及以藥內之審其寒熱而調之外取謂藥熨令所病氣調適也當寒反熱以冷調之當熱反寒以溫和之上盛不已吐而脫之下盛不已下而奪之謂求得氣過之道也藥厚薄謂氣味厚薄者也○新校正云按甲乙經云胃厚色黑大骨肉肥者皆勝毒其瘦而薄胃者皆不勝毒又按異法方宜論云西方之民陵居而多風水土剛強不衣而褐薦華食而脂肥故邪不能傷其形體其病生於內其治宜毒藥氣反者病在上取之下病在下取之上病在中傍取之下取謂寒逆於下而熱攻於上不利於下氣盈於上則溫下以調之上取謂寒積於下溫之不去陽藏不足則補其陽也傍取謂氣并於左則藥熨其右氣并於右則藥熨其左以和之必隨寒熱為適凡是七者皆病无所逃動而必中斯為妙用矣治熱以寒溫而行之

治寒以熱涼而行之治溫以清冷而行之治清以溫熱而行之氣性有剛柔形證有輕重方用有大小調制有寒溫盛大則順氣性以取之小耎則逆氣性以伐之氣殊則主必不容力倍則攻之必勝是則謂湯飲調氣之制也○新校正云按本草序引大論云熱因寒用寒因熱用少伏其所主而先其所因其始則同其終則異可使破積可使潰堅可使氣和可使必已故消之削之吐之下之補之寫之久新同法量氣盛虛而行其法病之新久無異道也帝曰病在中而不實不堅且聚且散柰何岐伯曰悉乎哉問也無積者求其藏虛則補之隨病所在命其藏以補之藥以祛之食以隨之食以無毒之藥隨湯丸以迫逐之使其盡也行水漬之和其中外可使畢已中外通和氣無流壅則釋

然消散眞氣自平帝曰有毒無毒服有約乎岐伯曰病有久新方有大小有毒無毒固宜常制矣大毒治病十去其六下品藥毒毒之大也常毒治病十去其七中品藥毒次於下也小毒治病十去其八上品藥毒毒之小也無毒治病十去其九上品中品下品無毒藥悉謂之平穀肉果菜食養盡之無使過之傷其正也大毒之性烈其爲傷也多小毒之性和其爲傷也少常毒之性減大毒之性一等加小毒之性一等所傷可知也故至約必止之以待來證尒然無毒之藥性雖平和久而多之則氣有偏勝則有偏絕久攻之則藏氣偏弱旣弱且困不可長也故十去其九而止服至約巳則以五穀五肉五果五菜隨五藏宜者食之巳盡其餘病藥食兼行亦通也○新校正云按藏氣法時論云毒藥攻邪五穀爲養五果爲助五畜

爲益五菜爲充不盡行復如法法謂前四約也餘病不盡然再行之毒之大小至約而止必無過也必先歲氣無伐天和歲有六氣分主有南面北面之政先知此六氣所在人脉至尺寸應之大陰所在其脉沈少陰所在其脉鉤厥陰所在其脉弦大陽所在其脉大而長陽明所在其脉短而濇少陽所在其脉大而浮如是六脉則謂天和不識不知呼爲寒熱攻寒令熱脉不變而熱疾已生制熱令寒脉如故而寒病又起欲求其適安可得乎夭枉之來率由於此無盛盛無虛虛而遺人夭殃不察虛實但思攻擊而盛者轉盛虛者轉虛萬端之病從茲而甚真氣日消病勢日侵殃咎之來苦夭之興難可逃也悲夫無致邪無失正絕人長命所謂伐天和也攻虛謂實是則致邪不識藏之虛斯爲失正氣既失則爲死之由矣帝曰其久病者有氣從不康病去而瘠奈何從謂順也岐伯曰昭乎

哉聖人之問也化不可代時不可違化謂造化也代大匠斵攩傷其手況造化之氣人能以力代之乎夫生長收藏各應四時之化雖巧智者亦無能先時而致之明非人力所及由是觀之則物之生長收藏化必待其時也物之成敗理亂亦待其時也物既有之人亦宜然或言力必可致而能代造化違四時者妄也夫經絡以通血氣以從復其不足與衆齊同養之和之靜以待時謹守其氣無使傾移其形迺彰生氣以長命曰聖王故大要曰無代化無違時必養必和待其來復此之謂也帝曰善大要上古經法也引古之要旨以明時化之不可違不可以力代也

新刊黃帝内經素問卷二十

新刊黄帝内經素問卷之二十一

啓玄子次註林億孫奇高保衡等奉敕校正孫兆重改誤

六元正紀大論篇第七十一

刺法論篇第七十二

本病論篇第七十三亡新校正云詳此二篇亡在王注之前按病能論篇末王冰注云世本既闕第七二篇謂此二篇也而今世有素問亡篇及昭明隱旨論以謂此亡篇仍託名王冰爲註辭理鄙陋無足取者舊本此篇名在六元正紀論後列之爲後人移於此若以尚書亡篇之名皆在前篇之末則舊本爲得

○六元正紀大論篇第七十一

黄帝問曰六化六變勝復淫治甘苦辛鹹酸淡
先後余知之矣夫五運之化或從五氣新校正云詳五氣疑作天氣則与下文相協
或逆天氣或從天氣而逆地氣
或從地氣而逆天氣或相得或不相得余未能
明其事欲通天之紀從地之理和其運調其化
使上下合德無相奪倫天地升降不失其宜五
運宣行勿乖其政調之正味從逆奈何氣同謂之從氣異謂之逆勝制爲不相得相生爲相得司天地之氣更淫勝復各有主治法則欲令平調氣性不違忤天地之氣以致清淨和平也
岐伯稽首再拜對曰昭乎哉
問也此天地之綱紀變化之淵源非聖帝孰能

窮其至理歟臣雖不敏請陳其道令終不滅久而不易氣主循環同於天地太過不及氣序常然不言永定之制則久而更易去聖遼遠何以明之帝曰願夫子推而次之從其類序分其部主別其宗司昭其氣數明其正化可得聞乎部主謂分六氣所部主者也宗司謂五氣運行之位也氣數謂天地五運氣更用之正數也正化謂歲直氣味所宜酸苦甘辛鹹寒溫冷熱也岐伯曰先立其年以明其氣金木水火土運行之數寒暑燥濕風火臨御之化則天道可見民氣可調陰陽卷舒近而無惑數之可數者請遂言之遂盡也帝曰大陽之正奈何岐伯曰辰戌之紀也

大陽　大角　大陰　壬辰　壬戌　其運風

其化鳴紊啓拆新校正云按五常政大論云其德鳴靡啓拆其變

振拉摧拔新校正云詳此其運其化其變從大角等運起其病眩

掉目瞑新校正云詳此病證以運加司天地爲言

大角初正　少徵　大宮　少商　大羽終

大陽　大徵　大陰　戊辰　戊戌同正徵新校

正云按五常大論云赫曦之紀上羽與正徵同其運熱　其化暄暑

鬱燠新校正云按五常政大論燠作蒸

其變炎烈沸騰　其病熱鬱

大徵　少宮　大商　少羽終　少角初

大陽　大宮　大陰　甲辰歲會同天符

甲戌歲會同天符新校正云詳天元紀大論云承歲為歲直又六微旨大論云木運臨卯火運臨午土運臨四季金運臨酉水運臨子所謂歲會氣之平也王冰云歲直亦曰歲會此甲辰甲戌為大宮辰戌為四季故曰歲會又云同天符者按本論下文云大過而加同天符是此歲一為歲會又為同天符也　其運陰埃新校正云詳大宮三運兩曰陰雨獨此曰陰埃陰埃疑作雨　其化柔潤重澤新校正云按五常政大論澤作淖　其變震驚飄驟　其病濕下重

大宮　少商　大羽終　大角初　少徵

大陽　大商　大陰　庚辰　庚戌　其運涼

其化霧露蕭飋　其變肅殺凋零

其病燥背瞀胷滿

太商　少羽終　少角初　太徵　少宮

太陽　太羽[新校正云按五常政大論云上羽而長氣不化]　太陰

丙辰天符　丙戌天符[新校正云按天元紀論云應天為天符又六微旨大論云土運之歲上見太陰火運之歲上見少陽少陰金運之歲上見陽明木運之歲上見厥陰水運之歲上見太陽曰天與之會故曰天符又本論下文云五運行同天化者命曰天符又云臨者太過不及皆曰天符]

其運寒[新校正云詳大羽三運此為上羽少陽少陰司天為大徵而少陽司天運言寒肅此与少陰司天運言其運寒者疑此大陽司天運合大羽當言其運寒肅少陽少陰司天運當云其運寒]

其化凝慘凓冽[新校正云按五常政大論作凝慘寒雰]

其變冰雪霜雹　其病大寒留於谿谷

大羽終　大角　少徵　大宮　少商

凡此大陽司天之政氣化運行先天六步之氣生長化成收藏皆先天時而應至也餘歲先天同之也天氣肅地氣靜寒臨大虛陽氣不令水土合德上應辰星鎮星明而大也其穀玄黅天地正氣之所生長化成也黅黃也其政肅其令徐寒政大舉澤無陽燄則火發待時寒甚則火鬱待四氣乃發暴為炎熱也少陽中治時雨乃涯止極雨散還於大陰雲朝北極濕化廼布北極雨府也澤流萬物寒敷于上雷動于下寒濕之氣持於氣交歲氣之大體也民病寒

濕發肌肉萎足痿不收濡寫血溢都積發[illegible]時血溢者[illegible]數
待時所為之病也初之氣地氣遷氣廼大溫[illegible]致之草廼
早榮民廼厲溫病廼作身熱頭痛嘔吐肌腠瘡
瘍赤班也是為膚腠中瘡在皮內也二之氣大涼反至民廼慘
草廼遇寒火氣遂抑民病氣鬱中滿寒廼始自涼
而反之於寒氣熱寒氣始來近人也三之氣天政布寒氣行雨廼
降民病寒反熱中癰疽注下心熱瞀悶不治者
死當寒反熱是反天常熱起於心則神之危亟不急扶救神必消亡故治者則生不治則死
四之氣風濕交爭風化為雨廼長廼化廼成民
病大熱少氣肌肉萎足痿注下赤白五之氣陽

復化草廼長廼化廼成民廼舒（大火臨御故萬物舒榮）終之氣地氣正濕令行陰凝大虛埃昏郊野民廼慘悽寒風以至反者孕廼死故歲宜苦以燥之溫之（新校正云詳故歲宜苦以燥之溫之九字當在避虛邪以安其正下錯簡在此）必折其鬱氣先資其化原（化源謂九月迎而取之以補心火○新校正云詳水將勝也先於九月迎取其化源先寫腎之源也蓋以水王十月故先於九月迎而取之寫水所以補火也）抑其運氣扶其不勝（大角歲脾不勝大徵歲肺不勝大宮歲腎不勝大商歲肝不勝大羽歲心不勝歲之宜也如此然大陽司天五歲之氣通宜先助心後扶腎氣）無使暴過而生其疾食歲穀以全其真避虛邪以安其正（木過則脾病生火過則肺病生土過則腎病生金過則肝病生）

水過則心病生天地之氣過亦然也歲穀謂適黃色黑色穀也虛邪謂從衝後來之風也

氣同異多少制之同寒濕者燥熱化異寒濕者燥濕化大宮大商大羽歲同寒濕宜治以燥熱化大角大徵歲異寒濕宜治以燥濕化故同者多之異者少之多謂燥熱少謂燥濕氣用少多隨其歲也用寒遠寒用涼遠涼用溫遠溫用熱遠熱食宜同法有假者反常反是者病所謂時也時謂春夏秋冬及間氣所在同則遠之即雖其時若六氣臨御假寒熱溫涼以除疾病者則勿遠之如太陽司天寒爲病者假熱以療則熱用不遠夏餘氣例同故曰有假反常也食同藥法亦若是假反法則爲病之媒非方制養生之道○新校正云按用寒遠熱及有假者反常等事下文備矣帝曰善陽明之政奈何岐伯曰卯酉之紀也

陽明　少角　少陰　清熱勝復同同正商清勝少角熱復清氣故曰清熱勝復同也餘少運皆同此同正商者上見陽明上商与正商同言歲木不及也餘準此○新校正云按五常政大論云委和之紀上商与正商同

丁卯歲會　丁酉

其運風清熱不及之運常兼勝復之氣言之風運氣也清勝氣也熱復氣也餘少運悉同

少角初正　大徵　少宮　大商　少羽終

陽明　少徵　少陰　寒雨勝復同同正商新校正云按伏明之紀上商与正商同　癸卯同歲會　癸酉同歲會○新校正云按本論下文云不及而加同歲會此運少徵爲不及下加少陰故云同歲會

其運熱寒雨

少徵　大宮　少商　大羽終　大角初

陽明　少陰　風涼勝復同　己卯

己酉　其運雨風涼

少宮　大商　少羽終　少角初　大徵

陽明　少商　少陰　熱寒勝復同同正商新校正云按五常政大論云炎革之紀上商与正商同

乙卯天符

乙酉歲會大一天符新校正云按天元紀大論云三合為治又六微旨大論云天符歲會曰大一天符王冰云是謂三合一者天會二者歲會三者運會也或云天此歲三合曰大一天符不當更曰歲會者甚不然也乙酉本為歲會又為大一天符歲會之

名不可去也或云己丑己未戊午何以不連言歲會而单言大一天符曰奉一隅不以三隅反奉一則三者可知去之則是大一天符不爲歲會也故曰不可去也

其運涼熱寒

少商　大羽終　大角初　少徵　大宮

陽明　少羽　少陰　雨風勝復同　辛卯少宫同新校正云按五常政大論云五運不及除同正角正商正宮外癸丑癸未當云少徵与少羽同己卯己酉少宮与少角同乙丑乙未少商与少徵同辛卯辛酉辛巳辛亥少羽与少宮同合有十年今此論獨於此言少宮同者蓋以癸丑癸未丑未爲土故不更同少羽己卯己酉爲金故不更同少角辛巳辛亥爲木故不更同少宮乙丑乙未下見大陽爲水故不更同少徵又除此八年外只有辛卯辛酉二年爲少羽同少宮也

辛酉　辛卯　其運寒雨風

少羽終　少角初　大徵　大宮　大商

凡此陽明司天之政氣化運行後天六步之氣生長化成庶務動靜皆後天時而應餘少歲同天氣急地氣明陽專其令炎暑大行物燥以堅淳風廼治風燥橫運流於氣交多陽少陰雲趨雨府濕化廼敷雨府大陰之所在也燥極而澤燥氣欲終則化為雨澤是謂三氣之分也其穀白丹天地正氣所化生也間穀命大者命大者謂前文大角商等氣之化者間氣化生故云間穀也○新校正云按玄珠云歲穀與間穀者何即在泉為歲穀及在泉之左右間者皆為歲穀其司天及運間而化者名間穀又別有一名間穀者是地化不及即反有所勝而生者故名間穀即邪

氣之化又名並化之殺也亦名開殺與王注頗異其耗白甲品羽白色中蟲多品羽類有羽翼者耗散粢盛蟲鳥甲兵歲為災以耗竭物類金火合德上應太白熒惑見大而明其政切其令暴蟄蟲迺見流水不冰民病欬嗌塞寒熱發暴振慄癃閟清先而勁毛蟲迺死熱後而暴介蟲迺殃其發躁勝復之作擾而大亂金先勝木已承害故毛蟲死火後勝金不勝故介蟲復殃勝而行殺弱者已三復者後來強者又死非大亂氣其何謂也清熱之氣持於氣交初之氣地氣遷陰始凝氣始肅水迺冰寒雨化其病中熱脹面目浮腫善眠鼽衄嚏欠嘔小便黃赤甚則淋大陰之化○新挍正云詳氣肅水冰疑非大陰之化二之氣

陽迺布民迺舒物迺生榮厲大至民善暴死臣位君故爾三之氣天政布涼迺行燥熱交合燥極而澤民病寒熱寒熱瘧也四之氣寒雨降病暴仆振慄譫妄少氣嗌乾引飲及為心痛癰腫瘡瘍瘧寒之疾骨痿血便骨痿無力五之氣春令反行草迺生榮民氣和終之氣陽氣布候反溫蟄蟲來見流水不冰民迺康平其病溫君之化也故食歲穀以安其氣食間穀以去其邪歲宜以鹹以苦以辛汗之清之散之安其運氣無使受邪折其鬱氣資其化源化源謂六月迎而取之也○新校正云按金王七月故迎於六月寫金氣以

寒熱輕重少多其制同熱者多天化同清者多地化少角少徵歲同熱用方多以天清之化治之少宮少商少羽歲同清用方多以地熱之化治之火在地故同清者多地化金在天故同熱者多天化用涼遠涼用熱遠熱用寒遠寒用溫遠溫食宜同法有假者反之此其道也反是者亂天地之經擾陰陽之紀也

帝曰善少陽之政奈何歧伯曰寅申之紀也

少陽　大角新校正云按五常政大論云上徵則其氣逆　厥陰

壬寅同天符　壬申同天符

其運風鼓新校正云詳風大合勢故其運風鼓少陰司天大角運亦同

其化鳴紊啓拆新校正云按五常政大論云其德鳴靡啓拆

其變振拉摧拔　其病掉眩支脇驚駭

大角初正　少徵　大宮　少商　大羽終

少陽　大徵新校正云按五常政大論云上徵而收氣後　厥陰

戊寅天符　戊申天符　其運暑

其化暄囂鬱燠新校正云按五常政大論作暄暑鬱燠此變暑爲囂者以

上臨少陽故也　其變炎烈沸騰

其病上熱鬱血溢血泄心痛

大徵　少宮　大商　少羽終　少角初

少陽　大宮　厥陰　甲寅　甲申

其運陰雨　其化柔潤重澤

其變震驚飄驟　其病體重胕腫痞飲

大宮　少商　大羽終　大角初　少徵

少陽　大商　厥陰　庚寅　庚申　同正商

新校正云按五常政大論堅成之紀上徵与正商同　其運涼

其化霧露清切新校正云按五常政大論云霧露蕭颸又大商三運兩言蕭颸獨此言清切詳此下如厥陰當此蕭颸　其變肅殺凋零

其病肩背胸中

大商　少羽終　少角初　大徵　少宮

少陽　大羽　厥陰　丙寅　丙申

其運寒肅新校正云詳此運不當言寒肅以注大陽司天大羽運中

其化凝慘凓冽新校正云按五常政大論云作凝慘寒雰

其變冰雪霜雹　其病寒浮腫

大羽終　大角初　少徵　大宮　少商

凡此少陽司天之政氣化運行先天天氣正新校正云詳少陽司天大陰司地正得天地之正又為厥陰少陽司地各云得其正者以地主生榮為言也本或作天氣止者少陽火之性用動躁云止義不通地氣擾風迺暴舉木偃沙飛炎火迺流陰行陽化雨迺時應火木同德上應熒惑歲星見明而大○新校正云詳六八氣推少陽厥陰司天司地為上下通和无相勝剋故言火木同德餘氣皆有勝尅故言合德其穀丹蒼其政嚴其令擾故風熱參布雲物沸騰大陰橫流

寒迺時至涼雨並起民病寒中外發瘡瘍內爲泄滿故聖人遇之和而不爭往復之作民病寒熱瘧泄聾瞑嘔吐上怫腫色變初之氣地氣遷風勝迺搖寒迺去候迺大溫草木早榮寒來不殺溫病迺起其病氣怫於上血溢目赤欬逆頭痛血崩今詳崩字當作崩脇滿膚腠中瘡少陰之化二之氣火反鬱大陰分故尔白埃四起雲趨雨府風下勝濕雨迺零民迺康其病熱鬱於上欬逆嘔吐瘡發於中胷嗌不利頭痛身熱昏憒音會膿瘡三之氣天政布炎暑至少陽臨上雨迺涯民病熱中聾

瞑血溢膿瘡欬嘔鼽衄渴嚏欠喉痺目赤善暴死四之氣凉廼至炎暑間化白露降民氣和平其病滿身重五之氣陽廼去寒廼來雨廼降氣門廼閉新校正云按王注生氣通天論氣門玄府也所以發泄經脉榮衛之氣故謂之氣門剛木早凋民避寒邪君子周密終之氣地氣正風廼至萬物反生霿霧以行其病關閉不禁心痛陽氣不藏而欬抑其運氣贊所不勝必折其鬱氣先取化源化源年之前十二月迎而取之○新校正云詳王注資取化源與此云取其意有四等太陽司天取九月陽明司天取六月是二者先取在天之氣也少陽司天取年前十二月太陰司天取九月是二者乃先時取在地之氣也少陰司天取年前十二

二月厥陰司天取四月義不可解按玄珠之説則不然太陽陽明之月與王注合少陽少陰俱取三月太陰取五月厥陰取年前十二月玄珠之義可解王注之月疑有誤也暴過不生苛疾不起苛重也○新校正云詳此不言食歲穀間穀者蓋此歲天地氣正上下通和故不言也故歲宜鹹宜辛宜酸滲之泄之漬之發之觀氣寒温以調其過同風熱者多寒化異風熱者少寒化大角大徵歲同風熱以寒化多之太宮大商大羽歲異風熱以涼調其過也用熱遠熱用温遠温用寒遠寒用涼遠涼食宜同法此其道也有假者反之反是者病之階也帝曰善太陰之政奈何岐伯曰丑未之紀也

大陰　少角　大陽　清熱勝復同　同正宮

新校正云按五常政大論云委和之紀上宮與正宮同　丁丑　丁未

其運風清熱

少角初正　大徵　少宮　大商　少羽終

大陰　少徵　大陽　寒雨勝復同　癸丑

癸未　其運熱寒雨

少徵　大宮　少商　大羽終　大角

大陰　少宮　大陽　風清勝復同　同正宮

新校正云按五常政大論云卑監之紀上宮與正宮同

己丑太一天符　己未太一天符

其運雨風清

少宮　大商　少羽終　少角初　大徵

大陰　少商　大陽　熱寒勝復同　乙丑

乙未　其運涼熱寒

少商　大羽終　大角初　少徵　大宮

大陰　少羽　大陽　雨風勝復同

同正宮新校正云按五常政大論云涸流之紀上宮與正宮同或以此二歲爲同歲會爲平水運欲去同正宮三字者非也蓋此歲有二義而輒去其一甚不可也

辛丑同歲會　辛未同歲會　其運寒雨風

少羽終　少角初　大徵　少宮　大商

凡此太陰司天之政氣化運行後天万物生長化成皆後天時而生成也陰專其政陽氣退辟大風時起新校正云詳此太陰之政何以言大風時起蓋厥陰爲初氣居木位春氣正風廼來故言大風時起天氣下降地氣上騰原野昏霧白埃四起雲奔南極寒雨數至物成於差夏雨極雨府也差夏謂立秋之後一十日也民病寒濕腹滿身䐜憤胕腫痞逆寒厥拘急濕寒合德黃黑埃昏流行氣交上應鎮星辰星見大而明其政肅其令寂其穀黅玄正氣所生成也故陰凝於上寒積於下寒水勝火則爲冰雹陽光不治殺氣廼行黃黑昏埃是謂殺氣自北及西流行於東及南也故有餘宜高不

反宜下有餘宜晚不及宜早土之利氣之化也民氣亦從之間穀命其大也（以間氣之大者言其穀也）初之氣地氣遷寒迺去春氣正風迺來生布萬物以榮民氣條舒風濕相薄雨迺後民病血溢筋絡拘強關節不利身重筋痿二之氣大火正物承化民迺和其病溫厲大行遠近咸若濕蒸相薄雨迺時降（應順天常不愆時候謂之時雨新校正云詳此以少陰居君火之位故言大火正）三之氣天政布濕氣降地氣騰雨迺時降寒迺隨之感於寒濕則民病身重胕腫胸腹滿四之氣畏火臨溽蒸化地氣騰天氣否隔寒風

曉暮蒸熱相薄草木凝煙濕化不流則白露陰布以成秋令萬物得之以成民病腠理熱血暴溢瘧心腹滿熱臚脹甚則胕腫五之氣慘令已行寒露下霜迺早降草木黄落寒氣及體君子周密民病皮腠終之氣寒大舉濕大化霜迺積陰迺凝水堅冰陽光不治感於寒則病人關節禁固腰脽痛寒濕持於氣交而爲疾也必折其鬱氣而取化源九月化源迎而取之以補益也益其歲氣無使邪勝食歲穀以全其眞食間穀以保其精故歲宜以苦燥之温之甚者發之泄之不發不泄則濕氣外

溢肉潰皮拆而水血交流必贊其陽火令禦甚
寒冬之分其用五步量氣用之也從氣異同少多其判也通言歲運之
同異也同寒者以熱化同濕者以燥化少宮少商少羽歲同
寒少宮歲又同濕濕過故宜燥寒過故宜熱少角少徵歲中和處之也異者少之
同者多之用涼遠涼用寒遠寒用溫遠溫用熱
遠熱食宜同法假者反之此其道也反是者病
也帝曰善少陰之政奈何岐伯曰子午之紀也
少陰　大角新校正云按五常政大論云上徵則其氣逆　陽明
壬子　壬午　其運風鼓
其化鳴紊啓拆新校正云按五常政大論云其德鳴靡啓拆

其變振拉摧拔　其病支滿

大角初正　少徵　大宮　少商　大羽終

少陰　大徵新校正云按五常政大論云上徵而收氣後　陽明

戊子天符　戊午太一天符　其運炎暑新校正云詳大徵運大陽司天曰熱少陽司天曰暑少陰司天曰炎暑兼司天之氣而言運也

其化暄曜鬱燠新校正云按五常政大論作暄暑鬱燠此變暑爲曜者以上臨少陰故也　其變炎烈沸騰　其病上熱血溢

大徵　少宮　大商　少羽終　少角初

少陰　大宮　陽明　甲子　甲午

其運陰雨　其化柔潤時雨新校正云按五常政大論

云柔潤重淖又大宫三運兩作柔潤重澤非也時兩二字疑誤

其變震驚飄驟　其病中滿身重

太宫　少商　太羽終　太角初　少徵

少陰　太商　陽明　庚子同天符　庚午同天符

同正商新校正云按五常政大論云堅成之紀上徵與正商同

其運涼勁新校正云詳此以運合在泉故云涼勁

其化霧露蕭飋　其變肅殺凋零

其病下清

太商　少羽　少角初　太徵　少宫

少陰　太羽　陽明　丙子歲會　丙午

其運寒，其化凝慘凓冽，新校正云按五常政大論作凝慘寒雰 其變冰雪霜雹，其病寒下。

大羽終　大角初　少徵　大宮　少商

凡此少陰司天之政，氣化運行先天，天地氣肅，天氣明，寒交暑，熱加燥，新校正云詳此云寒交暑者謂前歲終之氣少陽今歲初之氣太陽太陽寒交前歲少陽之暑也熱加燥者少陰在上而陽明在下也 雲馳雨府，濕化迺行，時雨迺降，金火合德，上應熒惑太白，見而明大 其政明，其令切，其穀丹白。水火寒熱持於氣交而為病始也。熱病生於上，清病生於下，寒熱凌犯而爭於中，民病欬喘，血溢血泄鼽嚏目赤眥瘍寒厥入胃心痛腰痛腹大嗌乾腫上初之氣地氣遷燥將去新校正云按陽明在泉之前歲為少陽少陽者暑暑往而陽明在地太陽初之氣故上文寒交暑是暑去而寒始也此燥字乃暑字之誤也寒迺始蟄復藏水迺冰霜復降風迺至新校正云按王注六微旨大論太陽居木位為寒風切冽此風迺至當作風迺冽陽氣鬱民反周密關節禁固腰脽痛炎暑將起中外瘡瘍二之氣陽氣布風迺行春氣以正萬物應榮寒氣時至民迺和其病淋目瞑目赤氣鬱於上而熱三之氣天政布大火行庶類蕃鮮寒氣時至民病氣厥心痛寒熱更作欬喘目赤四之氣

溽暑至大雨時行寒熱互至民病寒熱嗌乾黄癉鼽衄飲發五之氣畏火臨暑反至陽迺化萬物迺生迺長榮民迺康其病溫終之氣燥令行餘火内格腫於上欬喘甚則血溢寒氣數舉則霧霧翳病生皮腠内舍於脇下連少腹而作寒中地將易也氣終則迁何可長也必抑其運氣資其歲勝折其鬱發先取化源先於年前十二月迎而取之無使暴過而生其病也食歲穀以全眞氣食間穀以辟虛邪歲宜鹹以耎之而調其上甚則以苦發之以酸收之而安其下甚則以苦泄之適氣同異而

多少之同天氣者以寒清化同地氣者以溫熱化太角太徵歲同天氣宜以寒清治之太宮太商太羽歲同地氣宜以溫熱治之化治也用熱遠熱用涼遠涼用溫遠溫用寒遠寒食宜同法有假則反此其道也反是者病作矣帝曰善厥陰之政奈何岐伯曰巳亥之紀也

厥陰　少角　少陽　清熱勝復同　同正角新校正云按五常政大論云委和之紀上角與正角同　丁巳天符　丁亥天符　其運風清熱

少角初正　太徵　少宮　太商　少羽終

厥陰　少徵　少陽　寒雨勝復同

癸巳 同歲會 癸亥 同歲會 其運熱寒雨

少徵 大宮 少商 大羽終 大角初

厥陰 少宮 少陽 風清勝復同 同正角

新校正云按五常政大論云卑監之紀上角與正角同

己巳 己亥 其運雨風清

少宮 大商 少羽終 少角初 大徵

厥陰 少商 少陽 熱寒勝復同 同正角

新校正云按五常政大論云從革之紀上角與正角同

乙巳 乙亥 其運涼熱寒

少商 大羽終 大角初 少徵 大宮

厥陰　少羽　少陽　雨風勝復同

辛巳　辛亥　其運寒雨風

少羽終　少角初　太徵　少宮　太商

凡此厥陰司天之政，氣化運行後天，諸同正歲，氣化運行同天。大過歲運化氣行先天時，不及歲化生成後天時，同正歲化生成與天二十四氣遲速同，無先後也。〇新校正云：詳此計云同正歲與二十四氣同，疑非是。與大寒日交司氣歲同。天氣擾，地氣正，風生高遠，炎熱從之，雲趨雨府，濕化迺行，風火同德，上應歲星熒惑。其政撓，其令速，其穀蒼丹，間穀言大者，其耗文角品羽。風燥火熱，勝復更作，蟄蟲來見，流水

不冰熱病行於下風病行於上風燥勝復形於
中初之氣寒始肅殺氣方至民病寒於右之下
二之氣寒不去華雪水冰殺氣施化霜迺降名
草上焦寒雨數至陽復化民病熱於中三之氣
天政布風迺時舉民病泣出耳鳴掉眩四之氣
溽暑濕熱相薄爭於左之上民病黄癉而爲胕
腫五之氣燥濕更勝沈陰迺布寒氣及體風雨
迺行終之氣畏火司令陽迺大化蟄蟲出見流
水不冰地氣大發草迺生人迺舒其病温厲必
折其鬱氣資其化源化源四月也迎而取之贊其運氣無

使邪勝歲宜以辛調上以鹹調下畏火之氣無妄犯之新校正云詳此運何以不言適氣同異少多之制者蓋厥陰之政與少陽之政同六氣分政惟厥陰與少陽之政上下無對罰之異治化惟一故不亦言同風熱者多寒化異風熱者少寒化也用溫遠溫用熱遠熱用涼遠涼用寒遠寒食宜同法有假反常此之道也反是者病

帝曰善夫子言可謂悉矣然何以明其應乎岐伯曰昭乎哉問也夫六氣者行有次止有位故常以正月朔日平旦視之覩其位而知其所在矣陰之所在天應以雲陽之所在天應以清淨自然分布象見不差運有餘其至先運不及其至後先後者寅時之先後也先則丑後後則卯初此天

之道氣之常也天道昭然當期必應見無差失是氣之常運非有餘非不足是謂正歲其至當其時也當時謂當寅之正也帝曰勝復之氣其常在也災眚時至候也奈何岐伯曰非氣化者是謂災也十二變備矣帝曰天地之數終始奈何岐伯曰悉乎哉問也是明道也數之始起於上而終於下歲半之前天氣主之歲半之後地氣主之歲半謂立秋之日也○新校正云詳初氣交司在前歲大寒日歲半當在立秋前一氣之十五日不得云立秋之日也上下交互氣交主之歲紀畢矣交互互體也上體下體之中有二互體也故曰位明氣月可知乎所謂氣也大凡一氣主六十日而有奇以立位數之位同

一氣則司之部氣中氣可知也故言天地氣者以上下解言勝復者以貞交言橫運者以上下互皆以節氣作之勝之變眚變復可測矣帝曰余司其事則而行之不合其數何也岐伯曰氣用有多少化洽有盛衰衰盛多少同其化也帝曰願聞同化何如岐伯曰風溫春化同熱曛昏火夏化同勝與復同燥清煙露秋化同雲雨昏暝埃長夏化同寒氣霜雪冰冬化同此天地五運六氣之化更用盛衰之常也帝曰五運行同天化者命曰天符余知之矣願聞同地化者何謂也岐伯曰太過而同天化者三不及而同天化者亦三太過而同

地化者三不及而同地化者亦三此凡二十四歲也六十年中同天地之化者凡二十四歲餘悉隨己多少帝曰願聞其所謂也岐伯曰甲辰甲戌大宮下加大陰壬寅壬申大角下加厥陰庚子庚午大商下加陽明如是者三癸巳癸亥少徵下加少陽辛丑辛未少羽下加大陽癸卯癸酉少徵下加少陰如是者三戊子戊午大徵上臨少陰戊寅戊申大徵上臨少陽丙辰丙戌大羽上臨大陽如是者三丁巳丁亥少角上臨厥陰乙卯乙酉少商上臨陽明己丑己未少宮上臨大陰如是者三除此

二十四歲則不加不臨也帝曰加者何謂歧伯曰太過而加同天符不及而加同歲會也帝曰臨者何謂歧伯曰太過不及皆曰天符而變行有多少病形有微甚生死有早晏耳帝曰夫子言用寒遠寒用熱遠熱余未知其然也願聞何謂遠歧伯曰熱無犯熱寒無犯寒從者和逆者病不可不敬畏而遠之所謂時與六位也四時氣王之月藥及食衣寒熱溫涼同者皆宜避之差四時同犯則以水濟水以火助火病必生也帝曰溫涼何如溫涼減於寒熱可輕犯之乎歧伯曰司氣以熱用熱無犯司氣以寒用寒無犯司氣以涼用涼

無犯司氣以溫用溫無犯間氣同其主無犯異其主則小犯之是謂四畏必謹察之帝曰善其犯者何如須犯者岐伯曰天氣反時則可依時反甚爲病則可依時及勝其主則可犯夏寒甚則可以熱犯熱寒氣不甚則不可犯之以平爲期而不可過氣平則止過則病生過而病生與犯同也是謂邪氣反勝者氣動有勝是謂邪客勝於主不可不禁也六步之氣於六位中應寒反熱應熱反寒應溫反涼應涼反溫是謂六步之邪勝也差冬反溫差夏反冷差秋反熱差春反涼是謂四時之邪勝也勝則反其氣以平之故曰無失天信無逆氣宜無翼其勝無贊其復是謂至治天信謂至時必定翼贊皆依之謹守天信是謂至眞妙理也帝曰善五運氣行主歲之

紀其有常數乎？岐伯曰：臣請次之。

甲子 甲午歲

上少陰火 中太宫土運 下陽明金

熱化二新校正云：詳對化從標成數，正化從本生數。甲子之年熱化七，燥化九；甲午之年熱化二，燥化四。

雨化五新校正云：按本論正文云：太過不及，其數何始？太過者其數成，不及者其數生，土常以生也。甲年太宫土運太過，故言雨化五，五土數也。

燥化四 所謂正化日也正氣化也。

其化上鹹寒，中苦熱，下酸熱，所謂藥食宜也新校正云：按玄珠云：下苦熱。又按至眞要大論云：熱淫所勝，平以鹹寒；燥淫于內，治以苦

溫此一云丁酸
熱類該也

乙丑　乙未歲

上大陰土　中少商金運　下大陽水

熱化　寒化勝復同　所謂邪氣化日也

災七宮新校正云詳六宮西室兌位天任司也災之方以運之當方言

濕化五新校正云詳大陰正司於未對司於丑其化皆五以生數也不以成數者土王四季不得正方又天有九宮不可至十

清化四新校正云按本論下文云不及者其數生乙年少商金運不及故言清化四四金生數也

寒化六新校正云詳乙丑寒化六乙未寒化一

所謂正化日也

其化上苦熱中酸和下甘熱所謂藥食宜也新校正云按玄珠云上酸平下甘溫又按至真要大論云濕淫所勝平以苦熱寒淫于内治以甘熱

丙寅　丙申歲新校正云詳丙申之歲申金生水水化之令轉盛司天相火爲病減半

上少陽相火　中太羽水運　下厥陰木　火化二新校正云詳丙寅火化二丙申火化七　寒化六　風化三新校正云詳丙寅風化八丙申風化三　所謂正化日也

其化上鹹寒中鹹温下辛温所謂藥食宜也新校正云按玄珠云下辛涼又按至真要大論云火淫所勝平以鹹冷風淫于内治以辛涼

丁卯歲會 丁酉歲新校正云詳丁年正月壬寅爲干德符便爲平氣勝復不至運同正角金不勝木亦不災土又丁卯年得卯木佐之即上陽明不能災之

上陽明金 中少角木運 下少陰火

清化 熱化勝復同 所謂邪氣化日也

災三宮新校正云詳三宮東室震位天衝司

燥化九新校正云詳丁卯燥化九丁酉燥化四 風化三

熱化七新校正詳丁卯熱化二丁酉熱化七 所謂正化日也

其化上苦小溫中辛和下鹹寒所謂藥食宜

也新校正云按至眞要大論云燥淫所勝平以苦熱熱淫于內治以鹹寒文與此異上

苦熱

戊辰　戊戌歲

上太陽水　中太徵火運新校正云詳此上見太陽火化減半

下太陰土　寒化六新校正云詳戊辰寒化六戊戌寒化一

熱化七　濕化五　所謂正化日也

其化上苦溫中甘和下甘溫所謂藥食宜也新校正云按至真要大論云寒淫所勝平以辛熱濕淫于内治以苦熱又玄珠云上甘溫下酸平

己巳　己亥歲

上厥陰木　中少宮土運新校正云詳至九月甲戌月己得甲戌方還正宮

下少陽相火　風化

清化勝復同　所謂邪氣化日也
災五宮新校正云按五常政大論云其眚四維又天元玉冊云中室天會司非維宮同正宮寄位二宮坤位　風化三新校正云詳巳巳風化八巳亥風化三
濕化五　火化八新校正云詳巳巳熱化七巳亥熱化二
所謂正化日也
其化上辛涼中甘和下鹹寒所謂藥食宜也新校正云按至真要大論云風淫所勝平以辛涼火淫于內治以鹹冷
庚午同天符　庚子歲同天符
上少陰火　中太商金運新校正云詳庚午金今之氣半以上見少陰君火年下亦為火戰故與庚子年子是水金氣相得与庚午年又異

下陽明金　熱化七新校正云詳庚午年少化二燥化四庚子年熱化七燥化九　清化九

燥化九　所謂正化日也

其化上鹹寒，中辛溫，下酸溫，所謂藥食宜也新校正云按玄珠云下苦熱又按至真要大論云燥淫于內治以苦熱

辛未同歲會　辛丑歲同歲會

上大陰土　中少羽水運新校正云詳此至七月丙申月水還正羽　下大陽水　雨化　風化勝復同

所謂邪氣化日也

災一宮新校正云詳一宮北室坎位天玄同

雨化五　寒化一新校正云詳此以運与在泉俱水故只言寒化一寒化一者少羽之化氣也若太陽在泉之化則辛未寒化一辛丑寒化六

所謂正化日也

其化上苦熱中苦和下苦熱所謂藥食宜也新校正云按玄珠云上酸和下甘溫又按金匱要大論云湿淫所勝平以苦熱寒淫于內治以甘熱

壬申同天符　壬寅歲同天符

上少陽相火　中太角木運　下厥陰木

火化二新校正云詳壬申熱化之壬寅熱火二

風化八新校正云詳此以運与在泉俱木故只言風化八風化八乃太角之運化

也若厥陰在泉之化則壬中風化三壬寅風化八所謂正化日也

其化上鹹寒中酸和下辛涼所謂藥食宜也

癸酉同歲會 癸卯歲同歲會

上陽明金 中少徵火運新校正云詳此五月遇戊午月火還

正徵 下少陰火

寒化雨化勝復同 所謂邪氣化日也

災九宮新校正云詳九宮離位南室天英司

燥化九新校正云詳癸酉燥化四癸卯燥化九

熱化二新校正云詳此以運与在泉俱火故只言熱化二熱化二者少徵之運化也若少陰在泉之化則癸酉熱化七癸卯熱化二 所謂正化日也

其化上苦小温中鹹温下鹹寒所謂藥食宜也新校正云按玄珠云上苦熱

甲戌歲會同天符　甲辰歲歲會同天符

上太陽水　中太宫土運　下太陰土

寒化六新校正云詳甲戌寒化一甲辰寒化六　濕化五新校正云詳此以運与在泉俱土故只言濕化五　所謂正化日也

其化上苦熱中苦温下苦温所謂藥食宜也新校正云按玄珠云上甘温下酸平又按至真要大論云寒淫所勝平以辛熱濕淫于内治以苦熱

乙亥　乙巳歲

上厥陰木　中少商金運新校正云詳乙亥年三月得庚辰月見干德符即氣還正商火未得王而先平火不勝則水不復又亥是水得力年故火不勝也乙巳年火來小勝巳爲火佐於勝也即於二月中氣君火時化日火來行勝不得水復遺三月庚辰月乙見庚而氣自全金還正商　下少陽相火

熱化　寒化勝復同　所謂邪氣化日也

災七宮　風化八新校正云詳乙亥風化三乙巳風化八

清化四　火化二新校正云詳乙亥熱化二乙巳熱化七

正化度也度謂日也

其化上辛涼中酸和下鹹寒藥食宜也

丙子歲會　丙午歲

上少陰火　中大羽水運　下陽明金

熱化二新校正云詳丙子歲熱化七金之災得其半以運水大過勝於天令天令減半丙午熱化二午為火少陰君火同天運雖水一水不能勝二火故異於丙子歲

寒化六　清化四新校正云詳丙子燥化九丙午燥化四

正化度也

其化上鹹寒中鹹熱下酸溫藥食宜也新校正云按玄珠云下苦熱又按至真要大論云燥淫于內治以苦溫

丁丑　丁未歲

上大陰土新校正云詳此木運平氣上刑天令減半　中少角

木運新校正云詳丁年正月壬寅為干德符為正角　下大陽水

清化　熱化勝復同　邪氣化度也

災三宮　雨化五　風化三

寒化一 新校正云詳丁丑寒化六丁未寒化一 正化度也

其化上苦溫中辛溫下甘熱藥食宜也 新校正云按玄珠云上酸平下甘溫又按至真要大論云濕淫所勝平以苦熱寒淫于内治以甘熱

戊寅天符　戊申歲天符○新校正云詳戊申年与戊寅年小異申爲金佐於肺肺受火刑其氣稍實民病得半

上少陽相火　中太徵火運　下厥陰木

火化二 新校正云詳天符司天与運合故只言火化二火化二者太徵之運氣也 若少陽司天之氣則戊寅火化二戊申火化七

風化三新校正云詳戊寅歲化八戊申風化三 正化度也

其化上鹹寒中甘和下辛涼藥食宜也

己卯新校正云詳己卯金與運土相得子臨父位爲逆 己酉歲

上陽明金 中少宮土運新校正云詳復罷土氣未正後九月甲戌月土還正宮己酉之年木勝小微 下少陰火

風化 清化 勝復同 邪氣化度也

災五宮 清化九新校正云詳己卯燥化九己酉燥化四

雨化五 熱化七新校正云詳己卯熱化二己酉熱化七

正化度也

其化上苦小溫中甘和下鹹寒藥食宜也

庚辰　庚戌歲

上太陽水　中太商金運　下太陰土

寒化一新校正云詳庚辰寒化六庚戌寒化一

雨化五　正化度也　清化九

其化上苦熱中辛溫下甘熱藥食宜也新校正云按玄珠云上甘溫下酸平又按至真要大論云寒淫所勝平以辛熱溫淫于內治以苦熱

辛巳　辛亥歲

上厥陰木　中少羽水運新校正云詳辛巳年木復土罷至七月丙申日水還正羽辛亥年為水平氣以亥為水相佐為正羽与辛巳年小異

下少陽相火

雨化　風化勝復同　邪氣化度也

災一宮　風化三新校正云詳辛巳風化八辛亥風化三

寒化一　火化七新校正云詳辛巳熱化七辛亥熱化二

正化度也

壬午　壬子歲

上少陰火　中大角木運　下陽明金

熱化二新校正云詳壬午熱化二壬子熱化七　風化八

清化四新校正云詳壬午燥化四壬子燥化九　正化度也

其化上鹹寒中酸涼下酸溫藥食宜也新校正云按玄珠云下苦熱又按至真要大論云燥淫于內治以苦熱

癸未　癸丑歲

上太陰土　中少徵火運新校正云詳癸未癸丑左右二火爲閏相佐又五月戊午干德符癸見戊而氣全水來行勝爲正徵　下太陽水

寒化　雨化勝復同　邪氣化度也

災九宮　雨化五　火化二　正化度也

寒化一新校正云詳癸未寒化一癸丑寒化六

其化上苦溫中鹹溫下甘熱藥食宜也新校正云按玄珠云上酸和下甘溫又按至眞要大論云濕淫所勝平以苦熱寒淫于內治以甘熱

甲申　甲寅歲

上少陽相火　中太宮土運新校正云詳甲寅之歲小異於

甲申以寅木可刑土氣之平也　下厥陰木

火化二新校正云詳甲申火化七甲寅火化二　雨化五

風化八新校正云詳甲申風化三甲寅風化八　正化度也

其化上鹹寒中鹹和下辛涼藥食宜也

乙酉太一天符　乙卯歲天符

上陽明金　中少商金運新校正云按乙酉為正商以酉金相猶法故沿衍平氣乙卯之年二之氣君火分中火來行勝水未行復其氣以平以二月使辰乙補虞合金運正商其氣乃平　下少陰火

熱化寒化勝復同　邪氣化度也

災七宮　燥化四新校正云詳乙酉燥化四乙卯燥化九

清化四　熱化二新校正云詳乙酉熱化七乙卯熱化二

正化度也

其化上苦小溫中苦和下鹹寒藥食宜也

丙戌天符　丙辰歲會天符

上太陽水　中太羽水運　下太陰土

寒化六新校正云詳此以運與司天俱水運故只言寒化六寒化六者太羽之運化也若太陽司天之化則丙戌寒化一丙辰寒化六

雨化五　正化度也

其化上苦熱中鹹溫下甘熱藥食宜也新校正云按玄珠云上甘溫下酸平又按至真要大論云寒淫所勝平以辛熱濕淫于內治以苦熱

丁亥天符　丁巳歲天符

上厥陰木　中少角木運新校正云詳丁年正月壬寅丁得壬合爲干德符爲正角平氣　下少陽相火

清化　熱化勝復同　邪氣化度也

災三宮　風化三新校正云詳此運與司天俱木故只言風化三風化三者少角之運化也若厥陰司天之化則丁亥風化三丁巳風化八

火化七新校正云詳丁亥熱化二丁巳熱化七　正化度也

其化上辛凉中辛和下鹹寒藥食宜也

戊子天符　戊午歲太一天符

上少陰火　中太徵火運　下陽明金

熱化七新校正云詳此運與司天俱火故只言熱化七熱化七者大徵之運化也若少陰司天之化則戊子熱化七戊午熱化二

清化九新校正云詳戊子清化九戊午清化四正化度也

其化上鹹寒中甘寒下酸溫藥食宜也新校正云按玄珠云下苦熱又按至真要大論云燥淫于內治以苦溫

己丑太一天符　己未歲太一天符

上太陰土　中少宮土運新校正云詳是歲木得初氣而來勝脾乃病久土至危金乃來復至九月甲戌月已得甲合土還正宮下太陽水

風化　清化勝復同　邪氣化度也

災五宮　雨化五新校正云詳此運與司天俱土故只言雨化五

寒化一新校正云詳巳丑寒化六巳未寒化一正化度也

其化上苦熱中甘和下甘熱藥食宜也新校正云按玄珠云上酸平又按至真要大論云濕淫所勝平以苦熱

庚寅　庚申歲

上少陽相火　中太商金運新校正云詳庚寅歲爲正商得平氣以上見少陽相火下尅於金運不能大過庚申之歲申金佐之乃爲大商

下厥陰木　火化七新校正云詳庚寅熱化二庚申熱化七

清化九　風化三新校正云詳庚寅風化八庚申風化三

正化度也

其化上鹹寒中辛溫下辛涼藥食宜也

辛卯　辛酉歲

上陽明金　中少羽水運（新校正云詳此歲七月丙申水還正）

羽　下少陰火　雨化　風化勝復同

邪氣化度也　災一宮

清化九（新校正云詳辛卯燥化九辛酉燥化四）　寒化一

熱化七（新校正云詳辛卯熱化二辛酉熱化七）　正化度也

其化上苦小温中苦和下鹹寒藥食宜也

壬辰　壬戌歲

上大陽水　中大角木運　下大陰土

寒化六（新校正云詳壬辰寒化六壬戌寒化一）　風化八

雨化五　正化度也

其化上苦溫中酸和下甘溫藥食宜也新校正云按玄珠云上甘溫下酸平又按至真要大論云寒淫所勝平以辛熱濕淫于內治以苦熱

癸巳同歲會　癸亥同歲會

上厥陰木　中少徵火運新校正云詳癸巳正徵火氣平一謂巳爲火亦名歲會二謂水未得化三謂五月戊午癸得戊合故得平氣癸亥之歲亥爲水水得年力便來行勝至五月戊午月火還正徵其氣始平　下少陽相火

寒化　雨化勝復同　邪氣化度也

災九宮　風化八新校正云詳癸巳風化八癸亥風化三

火化二新校正云詳此運與在泉與火故只言火化二一火化二者少徵火運之化

也。於少陽作氣之化，則癸巳熱化七，癸亥熱化二。正化度也。其化上辛涼，中鹹和，下鹹寒，藥食宜也。凡此定期之紀，勝復正化，皆有常數，不可不察。故知其要者，一言而終，不知其要，流散無窮，此之謂也。帝曰：善。五運之氣，亦復歲乎？復，報也。先有勝制，則後必復也。岐伯曰：鬱極乃發，待時而作也。待，謂五及差分位也。大溫發於辰巳，大熱發於未申，大涼發於戌亥，大寒發於丑寅，上件所勝臨之，亦待間氣而發，故曰待時也。○新校正云：詳注"及"字疑作"氣"。帝曰：請問其所謂也。岐伯曰：五常之氣，太過不及，其發異也。歲太過，其發早；歲不及，其發晩。帝曰：願卒聞之。岐伯曰：太過者暴，不及者徐暴者爲病甚徐者爲病持持謂相執持也帝曰太過不及其數何如岐伯曰太過者其數成不及者其數生土常以生也數謂五常化行之數也水數一火數二木數三金數四土數五成數謂水數六火數七木數八金數九土數五也故曰土常以生也數生者各取其生數多少以占故政令德化勝復之休作日及尺寸分毫並以準之此盖都明諸用者也帝曰其發也何如岐伯曰土鬱之發巖谷震驚雷殷氣交埃昏黃黑化爲白氣飄驟高深鬱謂鬱抑天氣之甚也故雖天氣亦有涯涘分終則衰故雖鬱者怒發也土化不行炎亢無雨木盛過極故鬱怒發焉土性靜定至動逆雷雨大作而木土相持之氣乃休解也易曰雷雨作解此之謂也土雖獨怒木尚制之故但震驚於氣交之中而聲尚不能高遠也故曰雷殷氣交氣交謂土之上

盡山之高也詩云殷其靁也所謂靁雨生於山
中者土既抑鬱天木制之平川土薄氣常蕩散
故不能先發也山原土厚濕化豐深土厚氣深故先怒發也擊石飛空洪水
迺從川流漫衍田牧土駒哄氣驟雨岸落川沘大水橫流石勢崩迸急
高山空谷擊石先飛而洪水隨至也洪大也巨川衍溢流漫平陸漂蕩瘞没於深盛大水去已
石土危然若羣駒散牧於田野凡言土者沙石同也化氣迺敷善爲時雨
始生始長始化始成化土化也土被制化氣不敷否極則泰屈極則伸處
怫之時化氣因之乃能敷布於庶類以時而雨滋澤草木而成也善謂應時也化氣鮮少長氣
已過故万物始生始長始化始成言是四始者明万物化成之晚也故民病心腹
脹腸鳴而爲數後甚則心痛脇䐜嘔吐霍亂飲
發注下胕腫身重脾熱之生雲奔雨府霞擁朝陽山

澤埃昏其迺發也以其四氣兩府大陰之所在也埃白氣似雲而薄也埃固有微甚微者如紗縠之騰甚者如薄雲霧也甚者發近微者發遠四氣謂夏至後三十一日起盡至秋分日也雲橫天山浮游生滅怫之先兆天際雲橫山猶冠帶巖谷叢薄乍滅乍生有土之見怫兆已彰皆平明占之浮游以午前候望也

金鬱之發天潔地明風清氣切大涼迺舉草樹浮煙燥氣以行霿霧數起殺氣來至草木蒼乾金迺有聲大涼次寒也辛用事也浮煙燥氣也殺氣霜氛正殺氣者以丑時至長者亦卯時辰時也其氣之來色黃赤黑雜而至也物不勝殺故草木蒼乾蒼薄青色也故民病欬逆心脇滿引少腹善暴痛不可反側嗌乾面陳色惡金勝而木病也山澤焦枯土凝霜鹵怫迺發

也其氣五夏火炎亢時雨既愆故山澤焦枯土上凝白鹹鹵狀如霜也五氣謂秋分後至立冬後五十四日內也夜零白露林莽聲淒怫之兆也夜濡白露曉聽風淒有是乃爲金發徵也水鬱之發陽氣乃辟陰氣暴舉大寒乃至川澤嚴凝寒雰結爲霜雪寒雰白氣也其狀如霧而不流行墜地如霜雪得日晞也甚則黃黑昏翳流行氣交乃爲霜殺水乃見祥黃黑亦濁惡氣水氣也祥人祥亦謂泉出平也故民病寒客心痛腰脽痛大關節不利屈伸不便善厥逆痞堅腹滿陰勝陽故陽光不治空積沈陰白埃昏暝而乃發也其氣二火前後陰精與水皆上承火故其發也在君相二火之前後亦猶辰星迎隨日也大虛深玄氣猶麻散

微見而隱色黑微黃怫之先兆也深玄言高遠而黯黑也氣似散麻薄微可見之也寅後卯時候之夏月兼辰前之時亦可候也木鬱之發大虛埃昏雲物以擾大風迺至屋發折木木有變屋發謂發鴟吻折木謂大樹摧拔摺落懸竿中拉也變謂土生異木奇狀也故民病胃脘當心而痛上支兩脇鬲咽不通食飲不下甚則耳鳴眩轉目不識人善暴僵仆筋骨強直而不用卒倒而無所知也大虛蒼埃天山一色或爲濁色黃黑鬱若橫雲不起雨而迺發也其氣無常氣如塵如雲或黃黑鬱然猶在太虛之間而特異於常乃其候也長川草偃柔葉呈陰松吟高山虎嘯巖岫怫之先兆也草偃謂無風而自低柔葉謂白

楊葉也無風而葉皆背見是謂呈陰如是之候皆通微甚甚者發速微者發徐也山行之候則以松虎期之原行亦以麻黃為候秋冬則以梧桐蟬葉候之火鬱之發太虛腫翳大明不彰腫翳謂赤氣也大明日也。新校正云詳經注中腫字疑誤炎火行大暑至山澤燔燎材木流津廣廈騰煙土浮霜鹵止水迺減蔓草焦黃風行惑言濕化迺後大陰大勝在上寒熱流於太虛心火應天鬱抑而莫能彰顯寒濕盛已火迺與行陽氣火光故山澤燔燎井水減少妄作謡言雨已愆期也濕化迺後謂陽亢主時氣不爭長故先旱而後雨也故民病少氣瘡瘍癰腫脇腹胷背面首四支䐜憤臚脹瘍痱嘔逆瘛瘲骨痛節迺有動注下溫瘧腹中暴痛血溢流注精液迺少目赤心熱甚則瞀悶懊憹善暴死火鬱而怒為土水相持客主皆然悉無深犯則無咎也但熱已勝寒則為權敵而熱從心起是神氣孤危不速救之天真將竭故死火之用速故善暴死憹音農刻中大溫汗濡玄府其適發也其氣四刻終謂晝刻水刻終盡之時也大溫次熱也玄府謂汗空也汗濡玄府謂早行而身蒸熱也刻盡之時陰盛於此反無寒氣是陰下勝陽熱既已萌故當怒發也○新校正云詳土火鬱發四氣者何蓋火有二位為水發之所又大熱發於申未故火鬱之發於四氣也動復則靜陽極反陰濕令迺化迺成火怒爍金陽極過亢畏火求救土中土救熱金發為飄驟繼為時雨氣迺和平故萬物由是迺生長化成壯極則反盛亦何長也華發水凝山川冰雪焰陽午澤怫之先兆也謂君火王時有寒至也故歲君火發亦待時也有怫之應而後報也

皆觀其極而迺發也木發無時水隨火也應爲先兆發必後至故先應而後發也物不可以終壯觀其壯極則怫氣作焉有鬱則發氣之常也謹候其時病可與期失時反歲五氣不行生化收藏政無恒也人失其時則候無期準也帝曰水發而雹雪土發而飄驟木發而毀折金發而清明火發而曛昧何氣使然歧伯曰氣有多少發有微甚微者當其氣甚者兼其下徵其下氣而見可知也六氣之下各有承氣也則如火位之下水氣承之水位之下土氣承之土位之下木氣承之木位之下金氣承之金位之下火氣承之君位之下陰精承之各徵其下則象可見矣故發兼其下則與本氣殊異帝曰善五氣之發不當位者何也言不當其

正月岐伯曰命其差謂差四時之正月位也○新校正云按至真要大論云勝復之作動不當位或後時而至其故何也岐伯曰夫氣之生化與其衰盛異也寒暑溫涼盛衰之用其在四維故陽之動始於溫盛於暑陰之動始於清盛於寒春夏秋冬各差其分故大要曰彼春之暖為夏之暑彼秋之忿為冬之怒謹按四維斥候皆歸其終可見其始可知彼論勝復之不當位此論五氣之發不當位所論勝復五發之事則異而命其差之義則同帝曰差有數乎言日數也岐伯曰後皆三十度而有奇也後謂四時之後也差三十日餘八十七刻半氣猶未去而甚盛也度日也四時之後令當尒○新校正云詳註云八十七刻半當作四十三刻又四十分刻之三十帝曰氣至而先後者何謂未應至而至太早應至而至反太遲之類也正謂氣至在期先後岐伯曰運太過則其至先運不及則其至後此

候之常也。帝曰：當時而至者何也？岐伯曰：非大過非不及則至當時，非是者眚也。（當時謂應日刻之期也。非應先後至而有先後至者，皆為災眚災也。）帝曰：善。氣有非時而化者何也？岐伯曰：大過者當其時，不及者歸其已勝也。（冬雨春凉秋熱冬寒之類，皆為歸已勝也。）帝曰：四時之氣至有早晏高下左右，其候何如？岐伯曰：行有逆順，至有遲速，故大過者化先天，不及者化後天。（氣有餘故化先，氣不足故化後。）帝曰：願聞其行何謂也。岐伯曰：春氣西行，夏氣北行，秋氣東行，冬氣南行。（觀萬物生長收藏如斯言。）故春氣始於下，秋氣始於上，夏氣始於中，冬氣始於標春氣始於左秋氣始於右冬氣始於後夏氣始於前此四時正化之常察物以明之可知也故至高之地冬氣常在至下之地春氣常在高山之巔盛夏冰雪汙下川澤嚴冬草生常在之義足明矣○新校正按五常政大論云地有高下氣有溫涼高者氣寒下者氣熱必謹察之帝曰善天地陰陽視而可見何必思諸冥昧演法推求智極心勞而無所得耶黃帝問曰五運六氣之應見六化之正六變之紀何如岐伯對曰夫六氣正紀有化有變有勝有復有用有病不同其候帝欲何乎帝曰願盡聞之岐伯曰請遂言之遂盡也夫氣之所至也厥陰所至爲和平初之氣木之化少陰

所至爲暄二之氣君火也太陰所至爲埃溽四之氣土之化少陽所至爲炎暑三之氣相火也陽明所至爲清勁五之氣金之化太陽所至爲寒雰終之氣水之化時化之常也氣四時正化之常候厥陰所至爲風府爲璺啓璺微裂也啓開拆也少陰所至爲大火府爲舒榮太陰所至爲雨府爲員盈物承土化質皆盈滿又雨界地綠文見如環爲員化明矣少陽所至爲熱府爲行出藏熱者出行也陽明所至爲司殺府爲庚蒼庚更也更易也代也太陽所至爲寒府爲歸藏物寒故歸藏也司化之常也厥陰所至爲生爲風搖木之化少陰所至爲榮爲形見火之化太陰所至爲化爲雲雨土之

化少陽所至爲長爲蕃鮮火之化陽明所至爲收爲霧露金之化大陽所至爲藏爲周密水之化氣化之常也厥陰所至爲風生終爲肅風化以生則風生也肅靜也○新校正云按六微旨大論云風位之下金氣承之故厥陰爲風生而終爲肅也少陰所至爲熱生中爲寒熱化以生則熱生也陰精承上故中爲寒也○新校正云按六微旨大論云少陰之上熱氣治之中見大陽故爲熱生而中爲寒也又云君位之下陰精承之亦爲寒之義也大陰所至爲濕生終爲注雨濕化以生則濕生也大陰在上故終爲注雨○新校正云按六微旨大論云土位之下風氣承之王注云疾風之後雨乃零濕爲風吹化而爲雨故大陰爲濕生而終爲注雨也少陽所至爲火生終爲蒸溽火化以生則火生也陽在上故終爲蒸溽○新校正云按

六微旨大論云相火之下水氣承之故少陽為炎生而終為蒸溽也陽明所至為燥生終為涼燥化以生則燥生也陰在上故終為涼○新校正云詳此六氣俱先言本化次言所反之氣而獨陽明之化言燥生終為涼未見所反之氣再尋上下文義當云陽明所至為涼生終為燥方與諸氣之義同貫蓋以金位之下火氣承之故陽明為清生而終為燥也大陽所至為寒生中為溫寒化以生則寒生也陽在內故中為溫○新校正云按五運行大論云大陽之上寒氣治之中見少陰故為寒生而中為溫德化之常也風生毛形熱生翮形溼生倮形火生羽形燥生介形寒生鱗形六化皆為主歲及間氣所在而各化生常无替也非德化則无能化生也翮蚑革及厥陰所至為毛化形之有毛者少陰所至為羽化有羽翮飛行之類大陰所至為倮化无毛羽鱗甲之類少陽所至為羽化薄明

羽翼蜂蟬之類非翎羽之羽也陽明所至爲介化有甲之類大陽所至爲鱗化身有鱗也德化之常也厥陰所至爲生化溫化也少陰所至爲榮化暄化也大陰所至爲濡化溼化也少陽所至爲茂化熱化也陽明所至爲堅化凉化也大陽所至爲藏化寒化也布政之常也厥陰所至爲飄怒大凉飄怒木也大凉下承之金氣也少陰所至爲大暄寒大暄君火也寒下承之陰精也大陰所至爲雷霆驟注烈風雷霆驟注土也烈風下承之木氣也少陽所至爲飄風燔燎霜凝飄風旋轉風也霜凝下承之水氣也陽明所至爲散落溫散落金也溫下承之火氣也大陽所至爲寒雪冰雹白埃霜雪冰雹

水也白埃下承之土氣也氣變之常也變謂變常平之氣而爲甚用也用甚不已則下承之氣兼行故皆非本氣也厥陰所至爲撓動爲迎隨風之性也少陰所至爲高明焰爲曛焰陽焰也曛赤黃色也大陰所至爲沉陰爲白埃爲晦暝暗蔽不明也少陽所至爲光顯爲彤雲爲曛光顯電也流光也明也彤赤色也彤陰氣同陽明所至爲煙埃爲霜爲勁切爲淒鳴殺氣也大陽所至爲剛固爲堅芒爲立寒化也令行之常也令行則庶物無違厥陰所至爲裏急筋緛縮故急少陰所至爲瘍胗身熱火氣生也大陰所至爲積飲否隔土氣也少陽所至爲嚏嘔爲瘡瘍火氣生也陽明所至爲浮虛

淳盬薄腫按之復起也大陽所至爲屈伸不利病之常也厥陰所至爲支痛少陰所至爲驚惑惡寒戰慄譫妄（譫亂言也今詳慄字當作慄）大陰所至爲稸滿少陽所至爲驚躁瞀昧暴病陽明所至爲鼽尻陰股膝髀腨胻足病大陽所至爲腰痛病之常也厥陰所至爲緛戾少陰所至爲悲妄衄衊（衊汚血亦脂也）大陰所至爲中滿霍亂吐下少陽所至爲喉痺耳鳴嘔涌（涌謂溢食不下也）陽明所至爲脇痛皴揭（身皮皴象）大陽所至爲寢汗痙（寢汗謂睡中汗發於胷嗌頸掖之閒也俗誤呼爲盜汗瘧鄭抓）巨病之常也厥陰所至爲脇痛嘔泄（泄謂利也）

少陰所至爲語笑，大陰所至爲重胕腫，胕腫謂肉泥按之不起也。少陽所至爲暴注瞤瘛暴死，陽明所至爲皴揭，大陽所至爲流泄禁止，病之常也。凡此十二變者，報德以德，報化以化，報政以政，報令以令，氣高則高，氣下則下，氣後則後，氣前則前，氣中則中，氣外則外，位之常也。氣報德報化，謂天地氣也。高下前後中外，謂生病所出也。手之陰陽其氣高，足之陰陽其氣下，足太陽氣在身後，足陽明氣在身前，足少陰大陰厥陰氣在身中，足少陽氣在身側，各隨所在，言氣變生病象也。故風勝則動，不寧也。○新校正云：詳風勝則動至濕勝則濡泄五句，与陰陽應象大論文重而注不同。熱勝則腫，熱勝氣則爲丹熛，勝血則爲癰膿，勝骨肉則爲胕腫，按之不起。燥勝則乾（乾於外則皮膚皴揭乾於內則精血枯涸乾於氣及津液則肉乾而皮著於骨）寒勝則浮（浮謂浮起按之起見也）濕勝則濡泄甚則水閉胕腫（濡泄水利也胕腫肉泥按之陷而不起也水閉則逸於皮中也）隨氣所在以言其變耳帝曰願聞其用也岐伯曰夫六氣之用各歸不勝而為化（用謂施其化氣）故大陰雨化施於大陽大陽寒化施於少陰（新校正云詳此當云少陰少陽）少陰熱化施於陽明陽明燥化施於厥陰厥陰風化施於大陰各命其所在以徵之也帝曰自得其位何如岐伯曰自得其位常化也帝曰願聞所在也岐伯曰命其位而方月可知也（隨氣所在以定其方）

六分占之則日及也分无差也帝曰六位之氣盈虛何如岐伯曰太少異也太者之至徐而常少者暴而亡力強而作不能久長故暴而无也亡无也帝曰天地之氣盈虛何如岐伯曰天氣不足地氣隨之地氣不足天氣從之運居其中而常先也運謂木火土金水各主歲者也地氣勝則歲運上升天氣勝則歲運下降上升下降運氣常先迁降也惡所不勝歸所同和隨運歸從而生其病也非其位則變生變生則病作故上勝則天氣降而下下勝則地氣遷而上勝謂多也上多則自降下多則自升多少相移氣之常也○新校正云按六微旨大論云升已而降降者謂天降已而升升者謂地天氣下降氣流于地地氣上升氣騰于天故高下相召升降相因而變作矣此

亦升降之義也勝多少而差其分多則遲降多少則遲降少多少之應有微有甚之異也微者小差甚者大差甚則位易氣交易則大變生而病作矣大要曰甚紀五分微紀七分其差可見此之謂也以其五分七分之所以知天地陰陽過差矣帝曰善論言熱無犯熱寒無犯寒余欲不遠寒不遠熱奈何岐伯曰悉乎哉問也發表不遠熱攻裏不遠寒汗泄故用熱不遠熱下利故用寒不遠寒皆以其不住於中也如是則夏可用熱冬可用寒不發不泄而無畏忌是謂妄造法所禁也皆謂不獲已而用之也秋冬亦同法○新校正云按至真要大論云發不遠熱無犯溫涼帝曰不發不攻而犯寒犯熱何如岐伯曰寒熱內賊其病益甚

以水濟水以火濟火適足以更生病豈唯本病之益甚乎帝曰願聞無病者何如岐伯曰無者生之有者甚之無病者犯禁猶能生病況有病者而求輕減不亦難乎帝曰生者何如岐伯曰不遠熱則熱至不遠寒則寒至寒至則堅否腹滿痛急下利之病生矣食已不饑吐利腥穢亦寒之疾也熱至則身熱吐下霍亂癰疽瘡瘍瞀鬱注下瞤瘛腫脹嘔鼽衄頭痛骨節變肉痛血溢血泄淋閟之病生矣暴瘖冒昧目不識人躁擾狂越妄見妄聞罵詈驚癇亦熱之病帝曰治之奈何岐伯曰時必順之犯者治以勝也春宜涼夏宜寒秋宜溫冬宜熱此時之宜用不可不順然犯熱治以寒犯寒治以熱犯春宜用涼犯秋宜用溫是以勝也

犯熱治以鹹寒犯寒治以甘熱犯涼治以苦溫犯溫治以辛涼亦勝之道也黃帝問曰婦人重身毒之何如岐伯曰有故無殞亦無殞也故謂有大堅癥瘕痛甚不堪則治以破積愈痛之藥是謂不救必死盡死救之蓋存其大也雖服毒不死也上無殞言母必全亦無殞言子亦不死也帝曰願聞其故何謂也岐伯曰大積大聚其可犯也衰其大半而止過者死衰其大半不足以害生故衰其大半則止其藥若過禁待盡毒氣內餘無病可攻以當毒藥毒攻不已則敗損中和故過則死○新校正云詳此婦人身重一節與上下文義不接疑他卷脫簡於此帝曰善鬱之甚者治之柰何天地五行應運有鬱抑不伸之甚者岐伯曰木鬱達之火鬱發之土鬱奪之金鬱泄之水鬱折之然調其氣過者

令其條達也發謂汗之令其疏散也奪謂下之令無擁礙也泄謂滲泄解表利小便也折謂抑之

制其衝逆也通是五法乃氣可平調後乃觀其虛盛而調理之也過者折之以

其畏也所謂寫之過大過也大過者以其味寫之以鹹寫腎酸寫肝辛寫肺

甘寫脾苦寫心過者畏寫故謂寫為畏也帝曰假者何如岐伯曰有

假其氣則無禁也正氣不足臨氣勝之假寒熱溫涼以資四正之氣則可以

熱犯熱以寒犯寒以溫犯溫以涼犯涼也所謂主氣不足客氣勝也

客氣謂六氣更臨之氣主氣謂五藏應四時正王春夏秋冬也帝曰至哉聖人

之道天地大化運行之節臨御之紀陰陽之政

寒暑之令非夫子孰能通之請藏之靈蘭之室

署曰六元正紀非齋戒不敢示慎傳也新校正云詳此

與氣交變大
論末文重

新刊黃帝内經素問卷二十一

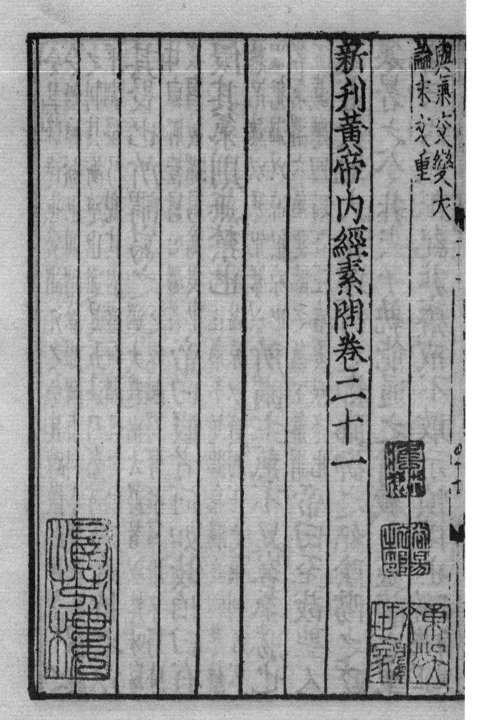

新刊黄帝内經素問卷第二十二

啓玄子次註林億孫奇高保衡等奉敕校正孫兆重改誤

○至真要大論篇第七十四

黄帝問曰五氣交合盈虚更作余知之矣六氣分治司天地者其至何如五行主歲歲有少多故曰盈虚更作也天元紀大論曰其始也有餘而往不足隨之不足而往有餘從之則其義也大分六氣歲主太虚三之氣司天終之氣監地天地生化是為大紀故言司天地者餘四可知矣岐伯再拜對曰明乎哉問也天地之大紀人神之通應也天地變化人神運為中外雖殊然其通應則一也帝曰願聞上合昭昭下合冥冥奈何岐伯曰此道之所主工之所疑

也不知其要流散无窮帝曰願聞其道也岐伯曰厥陰司天其化以風飛揚鼓拆和氣發生万物榮枯皆因而化變成敗也少陰司天其化以熱炎蒸鬱燠故庶類蕃茂大陰司天其化以濕雲雨潤澤津液生成少陽司天其化以火炎熾赫烈以爍寒災陽明司天其化以燥燥化以行物无濕敗大陽司天其化以寒對陽之化也○新校正云詳註云對陽之化陽字疑誤以所臨藏位命其病者也肝木位東方心火位南方脾土位西方南方及四維肺金位西方腎水位北方是五藏定位然六氣御五運所至氣不相得則病相得則和故先以六氣所臨後言五藏之病帝曰地化奈何岐伯曰司天同候間氣皆然六氣之本自有常性故雖位易而化治皆同帝曰間氣何謂岐伯曰司

左右者是謂間氣也六氣分化常以二氣司天地爲上下吉凶勝復客主之理歲中悔吝從而明之餘四氣散居左右也故陰陽應象大論曰天地者萬物之上下左右者陰陽之道路此之謂也帝曰何以異之岐伯曰主歲者紀歲間氣者紀步也歲三百六十五日四分日之一步六十日餘八十七刻半也積步之日而成歲也帝曰善歲主奈何岐伯曰厥陰司天爲風化巳亥之歲風高氣遠雲飛物揚風之化也在泉爲酸化寅申之歲木司地氣故物化從酸司氣爲蒼化木運之氣丁壬之歲化蒼青也間氣爲動化偏主六十日餘八十七刻半也○新校正云詳丑未之歲厥陰爲初之氣子午之歲爲二之氣辰戌之歲爲四之氣卯酉之歲爲五之氣少陰司天爲熱化子午之歲陽光熠燿暄暑流行熱之化也熠羊入切在泉爲苦化卯酉之歲

火司地氣故物以苦生不司氣化君不主運○新校正云按天元紀大論云君火以各相火以位謂君火不主運也居氣為灼化六十日餘八十七刻半也居本位君火為居不當間之也○新校正云詳少陰不曰間氣而云居氣者蓋尊君火无所不居不當間之也王註云居本位為居不當間之則居非位不為居而可間也寅申之歲為初之氣丑未之歲為二之氣巳亥之歲為四之氣辰戌之歲為五之氣大陰司天為濕化丑未之歲埃鬱曚昧雲雨潤濕之化也在泉為甘化辰戌之歲也土司地氣故甘化先焉司氣為黅化土運之氣甲巳之歲黅黃也間氣為柔化濕化行則庶物柔耎○新校正云詳大陰卯酉之歲為初之氣寅申之歲為二之氣子午之歲為四之氣巳亥之歲為五之氣少陽司天為火化寅申之歲也炎光赫烈燔灼焦然火之化也在泉為苦化巳亥之歲也火司地氣故苦化先焉司

氣為丹化（火運之氣，戊癸歲也）間氣為明化（明，炳明也，亦謂霞燒。新校正云：詳少陽火戊之歲為初之氣，卯酉之歲為二之氣，寅申之歲為四之氣，丑未之歲為五之氣）陽明司天為燥化（卯酉之歲。清切高明，霧露蕭瑟，燥之化也）在泉為辛化（子午之歲也。金司地氣，故辛化先焉）司氣為素化（金運之氣，乙庚歲也）間氣為清化（風生高勁，草木清冷，清之化也。新校正云：詳陽明巳亥之歲為初之氣，辰戌之歲為二之氣，寅申之歲為四之氣，丑未之歲為五之氣）大陽司天為寒化（辰戌之歲。嚴肅峻整，慘慄凝堅，寒之化也）在泉為鹹化（丑未之歲。水司地氣，故化從鹹）司氣為玄化（水運之氣，丙辛歲也）間氣為藏化（陰凝而冷，萬物斂容，藏之化也。新校正云：詳子午之歲大陽為初之氣，巳亥之歲為二之氣，卯酉之歲為四之氣，寅申之歲為五之氣）故治病者必明六化分治五味五色所生五藏所宜廼可以言盈虛病生之緒也（文字不厭備習也）帝曰厥陰在泉而酸化先余知之矣風化之行也何如岐伯曰風行于地所謂本也餘氣同法（厥陰在泉風行于地少陰在泉熱行于地大陰在泉溼行于地少陽在泉火行于地陽明在泉燥行于地大陽在泉寒行于地故曰餘氣同法也本謂六氣之上元氣也）本乎天者天之氣也本乎地者地之氣也（化於天者為天氣化於地者為地氣○新校正云按易曰本乎天者親上本乎地者親下之謂也）天地合氣六節分而萬物化生矣（万物居天地之間悉為六氣所生化陰陽之用未嘗有逃生化出陰陽也）故曰謹候氣宜無失病機此之謂也（病機下文具矣）帝曰其主病何如

言采滦之歲也岐伯曰司歲備物則無遺主矣謹候司天地所生化者則其味正當其歲也故彼藥工專司歲氣所收藥物則一歲二歲其所主用無遺略也〇今詳則字當作用帝曰先歲物何也岐伯曰天地之專精也專精之氣藥物肥濃又於使用當其正氣味也〇新校正云詳先歲疑作司歲

帝曰司氣者何如司運氣也岐伯曰司氣者主歲同然有餘不足也五運主歲者有餘不足比之歲物恐有薄有餘之歲藥專精也

帝曰非司歲物何謂也岐伯曰散也非專精則散氣散氣則物不純故質同而異等也形質雖同力用則異故不尚之氣味有薄厚性用有躁靜治保有多少力化有淺深此之謂也物與歲不同者何以此尔

帝曰歲主藏害何謂岐伯

曰以所不勝命之則其要也木不勝金金不勝火之類是也帝曰治之奈何岐伯曰上淫于下所勝平之外淫于内所勝治之淫謂行所不勝已者也上淫于下天之氣也外淫于内地之氣也隨所制勝而以平治之也制勝謂五味寒熱温凉隨勝用之下文備矣○新校正云詳天氣主歲雖有淫勝但當平調之故不曰治而曰平也帝曰善平氣何如謂平診平和之氣岐伯曰謹察陰陽所在而調之以平爲期正者正治反者反治知陰陽所在則知尺寸應與不應不知陰陽所在則以得爲失以逆爲從故謹察之也陰病陽不病陽病陰不病是爲正病則正治之謂以寒治熱以熱治寒也陰位已見陽脈陽位又見陰脈是謂反病則反治之謂以寒治寒以熱治熱也諸方之制咸悉不然故曰反者反治也帝曰夫子言察陰陽所在

而調之論言人迎與寸口相應若引繩小大齊等命曰平新校正云詳論言至曰平本靈樞之文今出甲乙經云寸口主中人迎主外兩者相應俱往俱來若引繩小大齊等春夏人迎微大秋冬寸口微大者名曰平也陰之所在寸口何如陰之所在脉沉不應引繩齊等其候頗難故闕以明之岐伯曰視歲南北可知之矣帝曰願卒聞之岐伯曰北政之歲少陰在泉則寸口不應木火金水運面北受氣凡氣之在泉者脉悉不見唯其左右之氣脉可見之在泉之氣善則不見惡者可見病以氣及客主淫勝名之在天之氣亦然矣　其厥陰在泉則右不應少陰在右故太陰在泉則左不應少陰在左故南政之歲少陰司天則寸口不應土運之歲面南行令故少陰司天則二手寸口不應也厥陰司天

則右不應大陰司天則左不應亦左右諸不應義也者反其診則見矣不應皆爲脈沉脈沉下者仰手而沉覆其手則沉爲浮細爲大也帝曰尺候何如岐伯曰北政之歲三陰在下則寸不應三陰在上則尺不應司天曰上在泉曰下南政之歲三陰在天則寸不應三陰在泉則尺不應左右同尺不應寸左右悉與寸不應義同故曰知其要者一言而終不知其要流散無窮此之謂也要謂知陰陽所在也知則用之不惑不知則尺寸之氣沉浮小大常三歲一差欲求其意猶遶樹問枝雖白首區區尚未知所詣況其旬月而可知乎帝曰善天地之氣內淫而病何如岐伯曰歲厥陰在泉風淫所勝則地氣

不明平野昧草迺早秀民病洒洒振寒善伸數欠心痛支滿兩脇裏急飲食不下鬲咽不通食則嘔腹脹善噫得後與氣則快然如衰身體皆重謂甲寅丙寅戊寅庚寅壬寅甲申丙申戊申庚申壬申歲也地氣不明謂天圖之際氣色昏暗風行地上故平野皆然昧謂暗也胠謂乳之下及胠外也伸謂以欲伸努筋骨也○新校正云按甲乙經洒洒振寒善伸數欠爲胃病食則嘔腹脹善噫得後与氣則快然如衰身体皆重爲脾病飲食不下鬲咽不通邪在胃管也蓋厥陰在泉之歲木王而尅脾胃故病如是又按脈解云所謂食則嘔者物盛滿而上溢故嘔也所謂得後与氣則快然如衰者十二月陰氣下衰而陽氣且出故曰得後与氣則快然如衰也歲少陰在泉熱淫所勝則焰浮川澤陰處反明民病腹中常鳴氣

上衝胷喘不能久立寒熱皮膚痛目瞑齒痛䪼腫惡寒發熱如瘧少腹中痛腹大蟄蟲不藏謂乙卯丁卯己卯辛卯癸卯乙酉丁酉己酉辛酉癸酉歲也陰處北方也不能久立足無力也腹大謂心氣不足也金火相薄而爲是也○新校正云按甲乙經齒痛䪼腫爲大腸病腹中雷鳴氣上衝胷喘不能久立邪在大腸也蓋少陰在泉之歲火尅金故大腸病也歲太陰在泉草乃早榮新校正云詳此四字疑衍濕淫所勝則埃昏巖谷黃反見黑至陰之交民病飲積心痛耳聾渾渾焞焞嗌腫喉痺陰病血見少腹痛腫不得小便病衝頭痛目似脫項似拔腰似折髀不可以回膕如結腨如別謂甲辰丙辰戊辰庚辰壬辰甲戌丙戌戊戌庚戌壬戌歲

也大陰爲土色見應黄於天中而反見於北方黒處也水土同見故曰至陰之交合其氣色也衝頭痛謂腦後眉間痛也膕謂膝後曲脚之中也腨胻後軟肉處也○新校正云按甲乙經耳聾渾渾焞焞嗌腫喉痺爲三焦病爲病衝頭痛目似脫項似拔腰似折髀不可以回膕如結腨如別爲膀胱是太陽病又少腹腫痛不得小便邪在三焦盖大陰在泉之歲土王尅大陽故病如是也膕戈麥切

歲少陽在泉火淫所勝則焰明郊野寒熱更至民病注泄赤白少腹痛溺赤甚則血便少陰同候謂乙巳丁巳己巳辛巳癸巳乙亥丁亥己亥辛亥癸亥歲也處寒之時熱更其氣熱氣既往寒氣後來故云更至也餘候与少陰在泉證同

歲陽明在泉燥淫所勝則霿霧清瞑民病喜嘔嘔有苦善大息心脅痛不能反側甚則嗌乾面塵身無膏

澤足外反熱謂甲子丙子戊子庚子壬子甲午丙午戊午庚午壬午歲也霧謂霿暗不分似霧也清薄寒也言霧起霿暗不散物形而薄寒也心脇痛謂心之傍脅中痛也面塵謂面上如有觸冒塵土之色也○新校正云按甲乙經病喜嘔嘔有苦善太息心脅痛不能反側甚則面塵身无膏澤足外反熱為膽病益乾面塵為肝病蓋陽明在泉之歲金旺尅木故病如是又按脈解云少陽所謂心脅痛者言少陽盛也盛者心之所表也九月陽氣盡而陰氣盛故心脅痛所謂不可反側者陰氣藏物也物藏不得動故不可反側也歲太陽在泉寒淫所勝則凝肅慘慄民病少腹控睪引腰脊上衝心痛血見嗌痛頷腫謂乙丑丁丑己丑辛丑癸丑乙未丁未己未辛未癸未歲也凝肅謂寒氣靄空凝而不動万物靜肅其儀形也慘慄寒甚也控引也睪陰丸也頷頰車前牙之下也○新校正云按甲乙經嗌痛頷腫為小腸病又小腹控睪引腰

脊上衝心搶邪在小腸也蓋大陽在泉之歲水剋火故病如是
帝曰善治之柰何岐伯曰諸氣在泉風淫于内治以辛涼佐以苦以甘緩之以辛散之風性喜溫而惡清故治之涼是以勝氣治之也佐以苦隨其所利也木苦急則以甘緩之苦抑則以辛散之藏氣法時論曰肝苦急急食甘以緩之肝欲散急食辛以散之此之謂也食亦音飼已曰食他曰飼也大法正味如此諸爲方者不必盡用之但一佐二治病已則止餘氣皆然
熱淫于内治以鹹寒佐以甘苦以酸收之以苦發之熱性惡寒故治以寒也熱之大盛甚於表者以苦發之不盡復寒制之寒制不盡復苦發之以酸收之甚者再方微者一方可使必已時發時止亦以酸收之
濕淫于内治以苦熱佐以酸淡以苦燥之以淡泄之濕与燥反故治以苦熱佐以酸淡也燥除濕故以苦燥其

濕也淡利竅故以淡滲泄也藏氣法時論曰脾
苦濕急食苦以燥之靈樞經曰淡利竅也生氣
通天論曰味過於苦脾氣不濡胃氣乃厚明苦
燥也○新校正云按天元正紀大論曰下太陰
其化下
甘溫
火淫于內治以鹹冷佐以苦辛以酸收
之以苦發之
火氣大行心腹心怒之所生也鹹
性柔耎故以治之以酸收之大法
候其須汗者以辛佐之不必要資苦味令其
汗也欲柔耎者以鹹治之藏氣法時論曰心欲
耎急食鹹以耎之心苦緩
急食酸以收之此之謂也
燥淫于內治以苦溫
佐以甘辛以苦下之
溫利涼性故以苦作之下
謂利之使不得泄○新校
正云按藏氣法時論曰肺苦氣上逆急食苦以
泄之以辛寫之酸補之又按下文司天燥淫所
勝佐以酸辛此云甘辛者其字疑當作酸天元
正紀大論云下酸熱與苦溫之治又異又云以
酸收之而安其下
甚則以苦泄之
寒淫于內治以甘熱佐以苦

辛以鹹寫之以辛潤之以苦堅之以熱治寒是爲摧勝折其氣用令不滋繁也苦辛之佐通事行之○新校正云按藏氣法時論曰腎苦燥急食辛以潤之腎欲堅急食苦以堅之用苦補之鹹寫之舊注引此在濕淫于內之下无義今移於此帝曰善天氣之變何如岐伯曰厥陰司天風淫所勝則大虛埃昏雲物以擾寒生春氣流水不冰民病胃脘當心而痛上支兩脅鬲咽不通飲食不下舌本強食則嘔冷泄腹脹溏泄瘕水閉蟄蟲不去病本于脾謂乙巳丁巳己巳辛巳癸巳乙亥丁亥己亥辛亥癸亥歲也是歲民病集於中也風自天行故太虛埃起風動飄蕩故雲物擾也埃青塵也不分遠物是爲埃昏土之爲病其善泄利若病水則小便閉而不下若大泄利則經水亦多閉絕也○新校

正云按甲乙經舌本強食則嘔腹脹溏泄瘕水閉為脾病又胃病者腹脹胃管當心而痛上支兩脅鬲咽不通食飲不下蓋歟陰司天之歲木勝上故病如是衝陽絕死不治衝陽在足跗上動脈應手胃之氣也衝陽脈微則食飲減少絕則藥食不入亦下嗌還出也攻之不入養之不生邪氣日昇真氣內絕故其必死不可復也少陰司天熱淫所勝怫熱至火行其政民病胸中煩熱嗌乾右胠滿皮膚痛寒熱欬喘大雨且至唾血血泄鼽衄嚏嘔溺色變甚則瘡瘍胕腫肩背臂臑及缺盆中痛心痛肺䐜腹大滿膨膨而喘欬病本于肺謂甲子丙子戊子庚子壬子甲午丙午戊午庚午壬午歲也怫熱至是火行其政乃爾是歲民病集於右蓋以小腸通心故也病自肺生故曰病本于肺也○新校正云按甲乙經溺色變肩

肩背臑及缺盆中痛腹脹滿膨膨而喘欬爲肺疾熱胸爲大腸病盖少陰司天之歲火剋金故病如此又王注云民病集於右以小腸通穴故不按甲乙經大腸附脊左環回腸附脊右環所謂不應得非火盛剋金而大腸病欬驅膏肓切

尺澤絕死不治尺澤在肘內廉大文中動脈應手肺之氣也火爍於金承天之命金氣內逆故必危亡尺澤不至肺氣已絕榮衛之氣當行无主真氣內絕生之何有哉

大陰司天濕淫所勝則沈陰且布雨變枯槁胕腫骨痛陰痺陰痺者按之不得腰脊頭項痛時眩大便難陰氣不用飢不欲食欬唾則有血心如懸病本于腎謂乙丑丁丑己丑辛丑癸丑乙未丁未己未辛未癸未歲也沈久也腎氣受邪水無能潤下焦枯涸故大便難也○新校正云按甲乙經飢不用食欬唾則有血心懸如飢狀爲腎病又邪在腎則骨痛陰痺陰痺者按

之而不得腹脹胷痛大便難寒背頸項強寒特甚蓋大陰司天之歲土勝水故病如是大谿絶死不治大谿在足內踝後跟骨上動脈應手腎之氣也土邪勝水而腎氣內絶邪盛正微故方无所用矣少陽司天火淫所勝則溫氣流行金政不平民病頭痛發熱惡寒而瘧熱上皮膚痛色變黄赤傳而爲水身面胕腫腹滿仰息泄注赤白瘡瘍欬唾血煩心胷中熱甚則鼽衄病本于肺謂甲寅丙寅戊寅庚寅壬寅甲申丙申戊申庚申壬申歲也火來用事則金氣受邪故曰金政不平也火炎於上金肺受邪客熱內爍水不能救故化生諸病也制火之客則已矣○新校正云按甲乙經邪在肺則皮膚痛發寒熱蓋少陽司天之歲火尅金故病如是天府絶死不治天府在肘後內側上掖下同身寸之三寸動脈應手肺之氣也

火勝而金脉絶故死陽明司天，燥淫所勝，則木廼晚榮，草廼晚生，筋骨內變，民病左胠脇痛，寒清于中，感而瘧，大凉革候，欬，腹中鳴，注泄鶩溏，名木斂生，菀下下，草焦上首，心脇暴痛，不可反側，嗌乾面塵，腰痛，丈夫㿗疝，婦人少腹痛，目昧眥瘍，瘡痤癰，蟄蟲來見，病本于肝。謂乙卯丁卯己卯辛卯癸卯乙酉丁酉己酉辛酉癸酉歲也。金勝，故草木晚生榮也。配於人身，則筋骨內應而不用也。大凉之氣，變易時候，則人寒清發於中，內感寒氣，則爲痎瘧也。大腸居右，肺氣通之，今肺氣內淫，肝居于左，故左胠脇痛如刺割也。其歲民自注泄，則无淫勝之疾也。大凉，次寒也。大凉且甚，陽氣不行，故木容收斂，草榮悉晚。生氣已升，陽不布令，故行積生氣而稸於下也。在人之應，則少腹之內痛氣居之。發然

於竹瘡瘍之疾猶及秋中瘡痙之患生於
癰腫之類生於下瘡色雖赤中心正白物無之當
也。○新校正云按甲乙經胷痛不可以俛仰又
夫癩疝婦人少腹腫甚則嗌乾面塵爲肝病又
背滿洞泄爲肝病又心脅痛不能反側目光皆
痛缺盆中腫痛掖下腫馬刀挾癭汗出振寒瘧
爲膽病蓋陽明司天之歲金尅木故病如是又
按脉解云厥陰所謂癩疝婦人少腹腫者厥陰
者辰也三月陽中之陰邪在中故
曰癩疝少腹腫也經殊禾則
治大衝大衝在足大指本節後二寸脉動應手肝之
氣也金來伐木肝氣內絕真不勝邪其死宜
大衝絕死不
也。大陽司天寒淫所勝則寒氣反至水且冰血
變于中發爲癰瘍民病厥心痛嘔血血泄鼽衄
善悲時眩仆運炎烈雨暴乃雹胷腹滿手熱
肘攣掖腫心澹澹大動胷脇胃脘不安面赤目

黄，善噫，嗌乾，甚則色炲，渴而欲飲，病本于心。謂甲辰丙辰戊辰庚辰壬辰甲戌丙戌戊戌庚戌壬戌歲也。太陽司天，寒氣布化，故水且冰，血凝皮膚之間，衛氣結聚，故爲癰也。若乘火運而火炎烈，與水交戰，故爲雨半珠形雹也。心氣爲噫，故善噫。是歲民病集于心胸之中也。陽氣內鬱，濕氣下蒸，故心瘀痛而逼血，血澀熱鬱而赤目其善噫，手熱肘攣，掖腫，嗌乾，甚則寒氣勝陽，水行凌火，火氣內鬱，故渴而欲飲也。病始心生，爲陰凌犯，故云病本于心也。○新校正云：按《甲乙經》：手熱肘攣掖腫，甚則胸脇支滿，心澹澹大動，面赤目黄，爲手心主病。又邪在心，則病心痛，善悲，時眩仆。蓋太陽司天之歲，水射火，故病如是。神門絶，死不治。神門在手之掌後鋭骨之端，動脉應手，真心氣也。水行勝火，而心氣内絶，神氣已亡，不死何待？善知其診，故不治也。所謂動氣知其藏也。所以診視而知死者何以？皆是藏之經脉動氣，知神藏之存亡尔。帝曰：善。治之

奈何謂可攻治者岐伯曰司天之氣風淫所勝平以
辛涼佐以苦甘以甘緩之以酸寫之厥陰之氣未爲盛熱
故以涼藥平之夫氣之用也積涼爲寒積溫爲
熱以熱少之其則溫也以寒少之其則涼也以
溫多之其則熱也以涼多之其則寒也各當其
分則寒寒也溫溫也熱熱也涼涼也方書之用
可不務乎故寒熱溫涼遷降多少善爲方者意
必精通餘氣皆然從其制也○新校正云按本
論上文云上淫天下所勝平之外淫于
內所勝治之故在泉曰治司天曰平也熱淫所
勝平以鹹寒佐以苦甘以酸收之熱氣已退時
發動者是爲
心虛氣散不斂以酸收之雖以酸收亦兼乘助
乃能發除其源本矣熱見入甚則以苦發之汗
已使涼是邪氣尽勿寒水之汗已猶熱是邪氣
未尽則以酸收之已又熱則復汗之已汗復熱
是藏虛也則補其心可矣法則合乎諸治熱者
亦宜少用刺二發三治此四法則變而反覆者乎

濕淫所勝平以苦熱佐以酸辛以苦燥之以淡泄之濕氣所淫皆爲腫滿但除其濕腫滿自衰因濕生病不腫不滿者亦尒治之濕氣在上以苦吐之濕氣在下以苦泄之以淡滲之則皆燥也泄謂滲泄以利水道下小便爲法然酸雖熱以用利小便去伏水也治濕之病不下小便非其法也○新校正云按濕淫于內佐以酸淡此云酸辛者辛疑當作淡濕上甚而熱治以苦溫佐以甘辛以汗爲故而止身半以上濕氣餘火氣復鬱々濕相薄則以苦溫甘辛之藥解表流汗而袪之故云以汗爲除病之故而已也火淫所勝平以鹹冷佐以苦甘以酸收之以苦發之以酸復之熱淫同同熱淫義熱亦如此法以酸復其本氣也不復其氣則淫氣空虛招其損燥淫所勝平以苦濕佐以酸辛以苦下之制燥之勝必以苦濕是火之氣

味也寒下必以苦宜補必以酸宜寫必以辛清甚寒留而不去則以苦溫下之氣有餘則以辛寫之諸氣同○新校正云按上文燥淫于內治以苦溫此云苦溫〻當為溫文注中溫字三並當作溫又按六元正紀大論亦作苦小溫以苦甘以鹹寫之淫散止之不可過也○新校正云按上文寒淫于內治以甘熱佐以苦辛此云平以辛熱佐以甘苦者此文為誤又按六元正紀大論云大陽之政歲宜苦以燥之帝曰善邪氣反勝治之奈何不能淫勝於他氣反為不勝之氣為邪以勝之岐伯曰風司于地清反勝之治以酸溫佐以苦甘以辛平之厥陰在泉則風司于地謂五寅五申歲邪氣勝盛故先以酸寫佐以苦甘邪氣退則正氣虛故以辛補養而平之熱司于地寒反勝之治以甘熱佐以苦辛以鹹平之少陰在泉則熱

（司于地謂五卯五酉歲也先爲其邪而後平其正氣也）濕司于地熱反勝之治以苦冷佐以鹹甘以苦平之（大陰在泉則溼司于地謂五辰五戌歲也補寫之義餘氣皆同）火司于地寒反勝之治以甘熱佐以苦辛以鹹平之（少陽在泉則火司于地謂五巳五亥歲也）燥司于地熱反勝之治以平寒佐以苦甘以酸平之以和爲利（陽明在泉則燥司于地謂五子五午歲也燥之性惡熱而畏寒故以冷熱和平爲方制也）寒司于地熱反勝之治以鹹冷佐以甘辛以苦平之（大陽在泉則寒司于地謂五丑五未歲也此六氣方治与前[illegible]勝法殊貫其云治者寫客邪之勝氣也云佐者皆所利所宜也云平者補已弱之正氣也）帝曰其司天邪勝何如岐伯曰風化於天清反勝

之治以酸温佐以甘苦（己亥歲也）熱化於天寒反勝
之治以甘温佐以苦酸辛（子午歲也）濕化於天熱反
勝之治以苦寒佐以苦酸（丑未歲也）火化於天寒反
勝之治以甘熱佐以苦辛（寅申歲也）燥化於天熱反
勝之治以辛寒佐以苦甘（卯酉歲也）寒化於天熱反
勝之治以鹹冷佐以苦辛（辰戌歲也）帝曰六氣相勝
柰何（先言其用爲勝）岐伯曰厥陰之勝耳鳴頭眩憒憒
欲吐胃鬲如寒大風數舉倮蟲不滋胠脇氣并
化而爲熱小便黄赤胃脘當心而痛上支兩脇
腸鳴飧泄少腹痛注下赤白甚則嘔吐鬲咽不

通五巳五亥歲也心下痞上胃之分胃鬲謂胃脘之上及大鬲之下風寒氣所生也氣并謂偏着一邊鬲咽謂食飲入而後出也○新校正云按甲乙經胃病者胃脘當心而痛上支兩脇鬲咽不通少陰之勝心下熱善饑齊下反痛氣遊三焦炎暑至木迺津草迺萎嘔逆躁煩腹滿痛溏泄傳爲赤沃五子五午歲也沃沫也大陰之盛火氣內鬱瘡瘍於中流散於外病在胠脇甚則心痛熱格頭痛喉痺項強獨勝則濕氣內鬱寒迫下焦痛留頂互引眉間胃滿雨數至燥化迺見少腹滿腰脽重強內不便善注泄足下溫頭重足脛胕腫飲發於中胕腫於上五丑五未歲也濕勝於上則火氣內鬱少勝於上

則寒迫下焦水溢河渠則鱗虫離水也陰謂陰肉也不便謂腰重內發直强伸不利也獨勝謂不兼鬱火也胕腫於上謂首面也足脛腫是火鬱所生也○新校正云詳注云水溢河渠則鱗虫離水也王作此注於經文无所解又按大陰之復云大雨時行鱗見於陸則此文於雨數至下脫少鱗見於陸四字不然則王注無因爲解也少陽之勝熱客於胃煩心心痛目赤欲嘔嘔酸善飢耳痛溺赤善驚譫妄暴熱消爍草萎水涸介蟲廼屈少腹痛下沃赤白五寅五申歲也熱暴甚故草萎水涸陰氣消爍介蟲金化也火氣大勝故介蟲屈伏隱藏水也陽明之勝清發於中左胠脇痛溏泄內爲嗌寒外發㿗疝大涼肅殺華英改容毛蟲廼殃胷中不便嗌塞而欬五卯五酉歲也大涼肅殺伐金氣勝木故草木華

英爲殺氣損削改易形容而焦其上首也毛蟲木化氣不冝金故金政大行而毛虫死耗也肝木之氣下主於陰故大凉行而癩疝發也胃中不便謂呼吸咽噎或痛或緩急而不利便也氣大盛故嗌塞而欬也嗌謂喉之下接連胷中肺兩葉之間也大陽之勝凝溧且至非時水氷羽迺後化痔瘧發寒厥入胃則內生心痛陰中迺瘍隱曲不利互引陰股筋肉拘苛血脉凝泣絡滿色變或爲血泄皮膚否腫腹滿食減熱反上行頭項囟頂腦戶中痛目如脫寒入下焦傳爲濡寫五辰五戌歲也寒氣交逼陽不勝之故非寒時而止氷氷結也水氣大勝陽火不行故諸羽蟲生化而後也拘急也苛重也絡絡脉也六陽之氣慓在於巔故熱反上行於頭也以其脉起於目內眥上額交巔上入絡腦還出別下項故囟

頂及腦戶中痛目如欲脫也濡謂水利也○新校正云按甲乙經痔瘧頭項囟頂及腦戶中痛目如脫爲太陽經病

帝曰：治之奈何？岐伯曰：厥陰之勝，治以甘清，佐以苦辛，以酸寫之。少陰之勝，治以辛寒，佐以苦鹹，以甘寫之。太陰之勝，治以鹹熱，佐以辛甘，以苦寫之。少陽之勝，治以辛寒，佐以甘鹹，以甘寫之。陽明之勝，治以酸溫，佐以辛甘，以苦泄之。太陽之勝，治以甘熱，佐以辛酸，以鹹寫之。六勝之至皆先歸其不勝己者故不勝者當先寫之以通其道次寫所勝之氣令其退釋也治諸勝而不寫遣之則勝氣浸盛而內生諸病也○新校正云詳此爲治皆先寫其不勝而後寫其來勝獨太陽之勝治以甘熱爲異疑甘字苦之誤也若云治以苦熱則六勝之治皆一

其也

帝曰六氣之復何如復謂報復報其勝也凡先有勝後必復○新校正云按玄珠云六氣分正化對化厥陰正司於亥對化於巳少陰正司於午對化於子太陰正司於未對化於丑少陽正司於寅對化於申陽明正司於酉對化於卯太陽正司於戌對化於辰正司化令之實對司化令之盛對化勝而有復正化勝而不復也註云凡先有勝後必復故未然

岐伯曰悉乎哉問也厥陰之復少腹堅滿裏急暴痛偃木飛沙倮蟲不榮厥心痛汗發嘔吐飲食不入入而復出筋骨掉眩清厥甚則入脾食痺而吐裏腹腸之內也木偃沙飛風之大也風為木勝故土不榮氣厥謂氣衝背胷而委及心也胃受逆氣而上攻心痛也痛甚則汗發泄掉謂肉中動也清厥手足冷也食痺謂食已心下痛陰陰然不可名也不可忍也吐出乃止此為胃氣逆而不下流也食飲不入入

〔而復出肝乘脾胃故令不也〕衝陽絶死不治〔衝陽胃脉氣也〕少陰之復燠熱内作煩躁鼽嚏少腹絞痛火見燔焫嗌燥分注時止氣動於左上行於右欬皮膚痛暴瘖心痛鬱冒不知人乃洒淅惡寒振慄譫妄寒已而熱渴而欲飲少氣骨痿隔腸不便外爲浮腫噦噫赤氣後化流水不冰熱氣大行介蟲不福病疿胗瘡瘍癰疽痤痔甚則入肺欬而鼻淵〔火熱之氣自小腸從齊下之左入大腸上行至左脅甚則上行於右而入肺故動於左上行於右皮膚痛也分注謂大小俱下也骨痿言骨弱无力也隔腸謂腸如隔絶而不便寫也寒熱甚則然陽明先勝故赤氣後化流水不冰少陰之本司於地也在人之應則冬脉不凝其高小緩〕

令已是至高之処水亦當氷平下川流則如經炎火氣內蒸金氣外拒陽熱內鬱故爲痱胗瘡瘍胗甚亦爲瘡也熱少則外生痱胗熱多則內結癰痤小腸有熱則戶外爲痔其後熱之變皆病於身後及外側也瘡瘍痱胗生於上癰疽痤痔生於下反其處者皆爲逆也

天府絕死不治

天府肺脉氣也○新校正云按上文少陰司天熱淫所勝尺澤絕死不治少陽司天火淫所勝天府絕死不治此云少陰之後天府絕死不治下文少陽之後尺澤絕死不治文如相反者蓋尺澤天府俱手太陰脉之所發動故此互文也

太陰之復濕變迺舉體重中滿食飲不化陰氣上厥胷中不便飲發於中欬喘有聲大雨時行鱗見於陸頭頂痛重而掉瘛尤甚嘔而密默唾吐清液甚則入腎竅瀉無度

温氣內逆寒氣不行太陽上流故爲是病頭頂痛重則腦中掉瘛尤甚腸

胃寒濕熱无所行熏灼胃府故胃中不便食飲
不化嘔而吞熱欲靜定也喉中惡吟故唾吐吟
液也寒氣易於上入肺喉則息道不利故欬喘
而喉中有聲也水居平澤則魚遊於市頭項囟
痛女人亦藏氣於胃闌也○新校正云按上文
大陰在泉頭痛項似拔又大陰司天云頭項痛
頂疑當作頭太谿絕死不治太谿腎脈氣也少陽之復大熱
將至枯燥燔爇介蟲廼耗驚瘛欬衄心熱煩燥
便數憎風厥氣上行面如浮埃目廼瞤瘛火氣
內發上爲口糜嘔逆血溢血泄發而爲瘧惡寒
鼓慄寒極反熱嗌絡焦槁渴引水漿色變黃赤
少氣脈萎化而爲水傳爲胕腫甚則入肺欬而
血泄火氣專暴枯燥草木燔焫自生故燔爇也少火內熾故驚瘛欬衄心熱煩燥便數憎風

也火炎於上則庳物失色故如塵埃浮於面而目瞤動也火燎於肉則口舌糜爛嘔逆及為血溢血泄風火相薄則為溫瘧氣蒸熱化則為水病傳為胕腫胕謂皮肉俱腫按之陷下泥而不起也如是之證皆火氣所生也尺澤絕死不治尺澤肺脈氣也陽明之復清氣大舉森木蒼乾毛蟲迺厲病生胠脇氣歸於左善太息甚則心痛否滿腹脹而泄嘔苦欬噦煩心病在鬲中頭痛甚則入肝驚駭筋攣殺氣大舉木不勝之故蒼青之葉不及黄而乾燥也厲謂疵癘疾疫死也清甚於內熱鬱於外故也太衝絕死不治太衝肝脈氣也太陽之復厥氣上行水凝雨冰羽蟲迺死心胃生寒胷中不利心痛否滿頭痛善悲時眩仆食減腰脽反痛屈伸不

便地裂氷堅陽光不治少腹控睪引腰脊上衝心唾出清水及為噦噫甚則入心善忘善悲雨氷謂雹也寒而遇雹死亦其宜寒化於地其上復土熱地體分裂水積氷堅久而不釋是陽洸之氣不治寒凝之物也大陽之復與不相持上盛下寒火無所往心氣內鬱熱由是生火熱內擣故生斯病○新校正云詳注云與不相持不字疑作上神門絕死不治神門真心脉氣帝曰善治之柰何復氣倍勝故先問以治之岐伯曰厥陰之復治以酸寒佐以甘辛以酸寫之以甘緩之不大緩之夏猶不已復重於勝故治以辛寒也○新校正云按別本治以酸寒作治以辛寒也少陰之復治以鹹寒佐以苦辛以甘寫之以酸收之以苦發之以鹹耎之不大發汗以寒攻之持至仲秋熱內

伏結而為心熱少氣少力而不能起矣熱伏不散歸於骨也大陰之復治以

苦熱佐以酸辛以苦寫之燥之泄之不燥泄之久而為身

腫腹滿闗節不利喘及伏兎腨痛内作髀膂胻内側胻腫病少陽之復治以

鹹冷佐以苦辛以鹹寫之以酸收之辛苦發之

發不遠熱無犯溫涼少陰同法不發汗以奪盛陽則熱内淫於

同支而為解㑊不可名也謂熱不甚謂寒不甚

謂强不甚謂弱不甚不可以名言故謂之解㑊

粗醫呼為鬼氣惡病也久久不已則骨熱髓涸

齒乾乃為骨熱病也發汗奪陽故无留熱故發

汗者雖熱生病夏月及差亦用熱藥以發之當

春秋時縱火熱盛亦不得以熱藥發汗汗不發

而藥熱内甚助病為瘧逆犯神靈故曰无犯溫

涼少陰氣熱為療則同故云與少陰同法也數

奪其汗則津液竭涸故以酸收以鹹潤也○

新校正云按六元正紀大論云發表不遠熱陽

明之復，治以辛溫，佐以苦甘，以苦泄之，以苦下之，以酸補之。（泄謂滲泄汗及小便湯浴皆是也。秋分前後則亦發之，春有勝則依勝法，或不已，亦湯漬和其中外也。怒復之後，其氣皆虛，故補之以安全其氣。餘復治同。）大陽之復，治以鹹熱，佐以甘辛，以苦堅之。（不堅則寒氣內變，止而復發，發而復止，綿歷年歲，生大寒疾。）治諸勝復，寒者熱之，熱者寒之，溫者清之，清者溫之，散者收之，抑者散之，燥者潤之，急者緩之，堅者耎之，脆者堅之，衰者補之，強者寫之，各安其氣，必清必靜，則病氣衰去，歸其所宗，此治之大體也。（太陽氣寒，少陰、少陽氣熱，厥陰氣溫，陽明氣清，太陰氣溼，有勝復則各倍其氣以調之，故可使平也。宗，屬也。調不失理，則餘之）

氣自歸其所屬少之氣自安其所居勝復衰已
則各補養而平定之必清必靜无妄撓之則六
氣循環五神安泰若運氣之寒熱
治之平之亦各歸司天地氣也
帝曰善氣之
上下何謂也歧伯曰身半以上其氣三矣天之
分也天氣主之身半以下其氣三矣地之分也
地氣主之以名命氣以氣命處而言其病半所
謂天樞也
身之半正謂齊中也或以腰爲身半
是以居中爲義過天中也中原之人
悉如此矣當伸臂指天舒足指地以繩量之中
正當齊也故又曰半所謂天樞也天樞正當齊
兩傍同身寸之二寸也其氣三者假如少陰司
天則上有熱中有大陽兼之三也六氣皆然司
天者其氣三司地者其氣三故身半以上三氣
身半以下三氣也以名言其氣以氣言其處以
氣處寒熱而言其病之形證也則如手足厥陰
氣居足及股脛之內側上行於少腹循脇足陽

則氣在足之上別之外股之前上行腹齊之傍
循胷乳上面足大陽氣起於目上額絡頭下項
脊過腰橫過髀樞股後下行入膕貫腨出外踝
之後足小指外側足大陰氣循足及股脛之內
側上行腹胷之前足少陰同之足少陽氣循膕
外側上行腹脇之側循頰耳至目銳眥在肩之
側此足六氣之部主也手厥陰少陰大陰氣從
於脊橫出循臂內側至中指小指大指之端手
陽明少陽大陽氣並起手表循臂外側上肩及
乎上頭此手六氣之部主也欲知病診當隨氣
所在以言之當陰之分冷病歸之當陽之分熱
病歸之故勝復之作先言病生寒熱者必依此
物理也〇新校正云按六微旨大論云天樞之
上天氣主之天樞之下地氣主之氣交之分人
氣從之

故上勝而下俱病者以地名之下勝而上

俱病者以天名之彼氣既勝此未能復抑鬱不暢而无所行進則困於擁退則竊於拂塞故上勝至則下與俱病下勝至則上與俱病上勝下病地氣鬱也故從地鬱以

名地病下勝上病天氣塞也故從天塞以名天病夫以天名者方順天氣爲制逆地氣而攻之以地名者方從天氣爲制則可假如陽明司天少陰在泉上勝而下俱病者是拂於下而生也天氣正勝天可逆之故順天之氣方同清也少陰等司天上下勝同法○新校正云按六元正紀大論云上勝則天氣降而下下勝則地氣遷而上此之謂也所謂勝至報氣屈伏而未發也復至則不以天地異名皆如復氣爲法也勝至未復而病生以天地異名爲式復氣已發則所生無問上勝下勝悉皆依復氣爲病寒熱之主也帝曰勝復之動時有常乎氣有必乎岐伯曰時有常位而氣無必也雖位有常而發動有無不必定之也帝曰願聞其道也岐伯曰初氣終三氣天氣主之勝之常也四氣盡終氣地氣主之復

之常也有勝則復無勝則否帝曰善復已而勝
何如岐伯曰勝至則復無常數也衰乃止耳勝微則復微故復已而又勝勝甚則復甚故復已則少有再勝者也假有勝者亦隨微甚而復之爾然勝復之道雖無常數至其衰謝則勝復皆自止也
復已而勝不復則害此傷生也有勝無復是復氣已衰衰不能復是天眞之氣已傷敗甚而生意盡
帝曰復而反病何也岐伯曰居非其位不相得也
大復其勝則主勝之故反病也捨已宮觀適於他邦已力已衰主不相得怨隨其後唯便是求故力極而復主反襲之反自病者也所謂火燥熱
也少陽火也陽明燥也少陰熱也少陰少陽在泉爲火居水位陽明司天爲金居火位金氣復其勝則火主勝之火復其勝則水主勝之餘氣勝復則無主勝之病氣也故又曰所謂火燥熱

也。帝曰：治之柰何？岐伯曰：夫氣之勝也，微者隨之，甚者制之；氣之復也，和者平之，暴者奪之。皆隨勝氣，安其屈伏，無問其數，以平爲期，此其道也。隨謂隨之，安謂順勝氣以和之也，制謂制止，平謂平調，奪謂奪其勝氣也。治此者不以數之多少，但以氣平和爲準度爾。帝曰：善。客主之勝復柰何？客謂天之六氣，主謂五行之位也。氣有宜否，故各有勝復之者。岐伯曰：客主之氣，勝而無復也。客主自有多少，以其爲勝與常勝殊。帝曰：其逆從何如？岐伯曰：主勝逆，客勝從，天之道也。客承天命，部統其方，主爲之下，固宜祗奉天命，不順而勝，則天命不行，故爲逆也。客勝於主，承天而行，理之道，故爲順也。帝曰：其生病何如？岐伯曰：厥陰司天，客勝則耳鳴掉眩，甚則欬；主勝則胸腹痛，舌難以言。（五巳五亥歲也）少陰司天，客勝則鼽嚏，頸項強，肩背瞀熱，頭痛少氣，發熱耳聾目瞑，甚則胕腫血溢，瘡瘍欬喘；主勝則心熱煩躁，甚則脇痛支滿。（五子五午歲也）大陰司天，客勝則首面胕腫，呼吸氣喘；主勝則胸腹滿，食已而瞀。（五丑五未歲也）少陽司天，客勝則丹胗外發，及為丹熛瘡瘍，嘔逆喉痹，頭痛嗌腫，耳聾血溢，內為瘛瘲；主勝則胸滿欬仰息，甚而有血手熱。（五寅五申歲也）陽明司天，清復內餘，則欬衄嗌塞，心鬲中熱，欬不止而白血出者死。（復謂復舊居也。白血謂欬出淺紅色）

血似肉似脾者五卯五酉歲也○新校正云詳此不言客勝主勝者以金居火位無客勝之理故不言也大陽司天客勝則胷中不利出清涕感寒則欬主勝則喉嗌中鳴（五辰五戌歲也）厥陰在泉客勝則大關節不利內為痙強拘瘛外為不便主勝則筋骨繇併腰腹時痛（五寅五申歲也大關節膂膝也）少陰在泉客勝則腰痛尻股膝髀腨䯒足病瞀熱以酸胕腫不能久立溲便變主勝則厥氣上行心痛發熱鬲中衆痹皆作發於胠脇魄汗不藏四逆而起（五卯五酉歲也）大陰在泉客勝則足痿下重便溲不時濕客下焦發而濡寫及為腫隱曲之疾主

勝則寒氣逆滿食飲不下甚則為疝 五辰五戌歲也隱曲之疾謂隱蔽委曲之處病也 少陽在泉客勝則腰腹痛而反惡寒甚則下白溺白主勝則熱反上行而客於心心痛發熱格中而嘔少陰同候 五巳五亥歲也 陽明在泉客勝則清氣動下少腹堅滿而數便寫主勝則腰重腹痛少腹生寒下為鶩溏則寒厥於腸上衝胷中甚則喘不能久立 五子五午歲也鶩鴨也言如鴨之後也 太陽在泉寒復內餘則腰尻痛屈伸不利股脛足膝中痛 五丑五未歲也○新校正云詳此不言客主勝者蓋太陽以水居水位故不言也 帝曰善治之柰何岐伯曰高者抑之

下者舉之有餘者折之不足者補之佐以所利和以所宜必安其主客適其寒溫同者逆之異者從之高者抑之制其勝也下者舉之濟其弱也有餘者折之屈其銳也不足者補之全其氣也雖制勝扶弱而客主須安一氣失所則矛楯更作榛棘互興各伺其便不相得志內淫外并而危敗之由作矣同謂寒熱溫清氣相比和者異謂水火金木土不比和者氣相得者則逆所勝之氣以治之不相得者則順所不勝氣以治之治以勝負欲益者以其味欲寫者亦以其味勝與不勝皆折其氣也何者以其性躁動也治熱亦然帝曰治寒以熱治熱以寒氣相得者逆之不相得者從之余已知之矣其於正味何如岐伯曰木位之主其寫以酸其補以辛木位春分前六十一日初之氣也火位之主其

寫以甘其補以鹹君火之位春分之後六十一日二之氣也相火之位夏至前後各三十日三之氣也二火之氣則殊然其氣用則一矣土位之主其寫以苦其補以甘土之位秋分前六十一日四之氣也金位之主其寫以辛其補以酸金之位秋分後六十一日五之氣也水位之主其寫以鹹其補以苦水之位冬至前後三十日終之氣也厥陰之客以辛補之以酸寫之以甘緩之少陰之客以鹹補之以甘寫之以鹹收之新校正云按藏氣法時論云心苦緩急食酸以收之心欲耎急食鹹以耎之此云以鹹收之者誤也太陰之客以甘補之以苦寫之以甘緩之少陽之客以鹹補之以甘寫之以鹹耎之陽明之客以酸補之以

辛寫之以苦泄之太陽之客以苦補之以鹹寫之以苦堅之以辛潤之開發腠理致津液通氣也客之部主各六十一日居無常所隨歲遷移客勝則寫客而補主主勝則寫主而補客應隨當緩當急以治之帝曰善願聞陰陽之三也何謂岐伯曰氣有多少異用也太陰為正陰太陽為正陽次少者為少陰次少者為少陽又次為陽明又次為厥陰厥陰為盡義具靈樞繫日月論中○新校正云按天元紀大論云何謂氣有多少鬼臾區曰陰陽之氣各有多少故曰三陰三陽也帝曰陽明何謂也岐伯曰兩陽合明也靈樞繫日月論曰辰者三月主左足之陽明巳者四月主右足之陽明兩陽合於前故曰陽明也帝曰厥陰何也岐伯曰兩陰交盡也靈樞繫日月論曰戌者九月主右足之厥陰亥者十月主

左足之厥陰兩陰交盡故曰厥陰也帝曰氣有多少病有盛衰新校正云按天元紀大論云形有盛衰治有緩急方有大小願聞其約柰何岐伯曰氣有高下病有遠近證有中外治有輕重適其至所爲故也藏位有高下府氣有遠近病證有表裏藥用有輕重調其多少和其緊慢令藥氣至病所爲故勿太過與不及也大要曰君一臣二奇之制也君二臣四偶之制也君二臣三奇之制也君三臣六偶之制也奇謂古之單方偶謂古之複方也單複一制皆有小大故奇方云君一臣二君二臣三偶方云君二臣四君二臣六也病有小大氣有遠近治有輕重所宜故云制也故曰近者奇之遠者偶之汗者不以奇下者不以偶補上治上制以緩

補下治下制以急急則氣味厚緩則氣味薄適其至所此之謂也汗藥不以偶方氣不可以外發泄下藥不以奇制藥毒攻而致過治上補上方迅急則上不住而迫下治下補下方緩慢則滋道路而力又微制急方而氣味薄則力與緩等制緩方而氣味厚則勢與急同如是為緩不能緩急不能急厚而不厚薄而不薄則大小非制輕重無度則虛實寒熱藏府紛撓無由致理豈神靈而可望安哉病所遠而中道氣味之者食而過之無越其制度也假如病在腎而心之氣味飼而令足仍急過之不飼以氣味腎藥凌心心復益衰餘上下遠近不同是故平氣之道近而奇偶制小其服也遠而奇偶制大其服也大則數少小則數多多則九之少則二之湯丸多少凡如此也近遠謂府藏之位也心肺為近肝腎為遠

脾胃居中三陽胞䐈膽亦有遠近身三分之上爲近下爲遠也或識見高遠權以合宜方奇而分兩偶方偶而分兩奇如是者近而偶制多數服之遠而奇制少數服之則肺服九心服七脾服五肝服三腎服一爲常制矣故曰小則數多大則數少○新校正云詳旨云三陽胞䐈膽一本作三腸胞䐈膽再詳三陽無義三腸亦未爲得腸有大小并䐈腸爲三今已云胞䐈則不得云三腸三當作二䐈之力切

奇之不去則偶之是謂重方偶之不去則反佐以取之所謂寒熱温涼反從其病也方與其重也寧輕與其毒也寧善與其大也寧小是以奇方不去偶方主之偶方病在則反其一佐以同病之氣而取之也夫熱與寒背寒與熱違微小之熱爲寒所折微小之冷爲熱所消甚大寒熱則必能與違性者爭雄能與異氣者相格聲不同不相應氣不同不相合如是則且憚而不敢攻之攻之則病氣與藥氣抗衡而自爲寒熱以開閉固守矣是以聖人反其佐

以同其氣令身氣應合復令其熱參合使其終異始同燥潤而敗堅剛強必折柔脆同消亦不圖須酬功帝曰善病生於本余知之矣生於標者治之柰何岐伯曰病反其本得標之病治反其本得標之方言少陰大陽之二氣餘四氣標本同帝曰善六氣之勝何以候之岐伯曰乘其至也清氣大來燥之勝也風木受邪肝病生焉流於膽熱氣大來火之勝也金燥受邪肺病生焉流於廻腸大腸○新校正云詳注云廻腸大腸按甲乙經廻腸即大腸也寒氣大來水之勝也火熱受邪心病生焉流於三焦小腸濕氣大來土之勝也寒水受邪腎病生焉流於膀胱風氣大來木之勝也土濕受邪

脾病生焉流於胃所謂感邪而生病也外有其氣而內惡之中外不喜因而遂病是謂感也乘年之虛則邪甚也年木不足外有清邪年火不足外有寒邪年土不足外有風邪年金不足外有熱邪年水不足外有濕邪是年之虛也歲氣不足外邪湊甚也失時之和亦邪甚也六氣臨統与位氣相尅感之而病亦隨所不勝而与內藏相應邪復甚也遇月之空亦邪甚也謂上弦前下弦後月輪中空也重感於邪則病危矣年已不足邪氣大至是一感也年已不足天氣尅之此時感邪是重感也內氣召邪天氣不結然病之不危可乎有勝之氣其必來復也天地之氣不能相無故有勝之氣其必來復也帝曰其脈至何如岐伯曰厥陰之至其脈弦耎虛而滑端直以長是謂弦實而強則病不實而微亦病不端直長亦病不當其位亦病位不能弦亦病

少陰之至其脉鉤來盛去衰如偃帶鉤是謂鉤來不盛去反盛則病來盛去
盛亦病來不盛去不盛亦病不當其位亦病位不能鉤亦病太陰之至其脉
沉沉下也按之乃得下諸位脉也沉甚則病不沉亦病不當其位亦病位不能沉亦病少
陽之至大而浮浮高也大謂稍大諸位脉也大浮甚則病浮而不大亦病大而
不浮亦病不大不浮亦病不當其位亦病位不能大浮亦病陽明之至短而
濇往來不利是謂濇也往來不遠是謂短也短甚則病濇甚則病不短不濇亦病不當其病
亦病位不能短濇亦病太陽之至大而長往來遠是謂長大甚則病長甚
則病長而不大亦病大而不長亦病不當其位亦病位不能長大亦病至而和則
平不大甚則為平調不弱不強是為和也至而甚則病弦似張弓弦滑如連
珠沉而附骨浮高於皮濇而止住短如麻黍大如帽簪長如引繩皆謂至而太甚也至而

反者病應弦反濇應大反細應沉反浮應浮反沉應短濇反長滑應耎虛反強實應細
反大是皆為氣反常平之候有病乃如此見也至而不至者病氣位已至而脉
氣不應也未至而至者病按暦古之凡得節氣等年六位之分當如南北之歲
脉象陵易而應之氣序未移而脉先變易是先天而至故病陰陽易者危不應
天常氣見交錯失其相位更易見之陰位見陽脉陽位見陰脉是易位而見也二氣錯亂故氣
危○新校正云按六微旨大論云帝曰其有至而至有至而不至有至而大過何也岐伯曰至
而至者和至而不至來氣不及也未至而至來氣有餘也帝曰至而不至未至而至何如岐伯
曰應則順否則逆逆則變生變生則病帝曰請言其應岐伯曰物生其應也氣脉其應也所謂
脉應即此脉應也帝曰六氣標本所從不同柰何岐伯
曰氣有從本者有從標本者有不從標本者也

帝曰願卒聞之歧伯曰少陽太陰從本少陰太陽從本從標陽明厥陰不從標本從乎中也少陽之本火太陰之本濕本末同故從本也少陰之本熱其標陰太陽之本寒其標陽本末異故從本從標陽明之中太陰厥陰之中少陽本末與中不同故不從標本從乎中也從本從標從中皆以其爲化生之用也故從本者化生於本從標本者有標本之化從中者以中氣爲化也化謂氣化之元主也有病以元主氣用寒熱治之○新校正云按六微旨大論云少陽之上火氣治之中見陽明厥陰之上燥氣治之中見太陰太陽之上寒氣治之中見少陰厥陰之上風氣治之中見少陽少陰之上熱氣治之中見太陽太陰之上濕氣治之中見陽明所謂本也本之下中之見也見之下氣之標也本標不同氣應異象此之謂也帝曰脉從而病反者其診

何如岐伯曰脉至而從按之不鼓諸陽皆然言病熱而脉數按之不動乃寒盛格陽而致之非熱也帝曰諸陰之反其脉何如岐伯曰脉至而從按之鼓甚而盛也形證是寒按之而脉氣鼓擊於手下盛者此爲熱盛拒陰而生病非寒也是故百病之起有生於本者有生於標者有生於中氣者有取本而得者有取標而得者有取中氣而得者有取標本而得者有逆取而得者有從取而得者反佐取之是爲逆取奇偶取之是爲從取寒病治以寒熱病治以熱是爲逆取從順也逆正順也若順逆也寒盛格陽治熱以熱〻盛拒陰治寒以寒之類皆明謂之逆其外雖用逆中乃順也此逆乃正順也若寒格陽而治以寒熱拒寒而治以熱外則雖順中氣

生病者治其本先熱而後生中滿者治其標先病而後泄者治其本先泄而後生他病者治其本必且調之乃治其他病先病而後生中滿者治其標先中滿而後煩心者治其本人有客氣有同氣小大不利治其標小大利治其本病發而有餘本而標之先治其本後治其標病發而不足標而本之先治其標後治其本謹察間甚以意調之間者并行甚者獨行先小大不利而後生病者治其本此經論標本尤詳帝曰勝復之變早晏何如歧伯曰夫所勝者勝至已病病已慍慍而後已萌也復心之慍不遂而有天所復者勝盡而起得位而甚勝有微甚復有少多勝和而和勝虛而虛天之常也帝曰勝復之作動不當位或後時而至其故何也言陽盛於夏陰盛於冬清盛於秋溫盛於春天之常候然其勝復氣用四序不同其

何由哉岐伯曰夫氣之生與其化衰盛異也寒暑
溫涼盛衰之用其在四維故陽之動始於溫盛
於暑陰之動始於清盛於寒春夏秋冬各差其
分言春夏秋冬四正之氣在於四維之分也即
事驗之春之溫正在辰巳之月夏之暑正在
未申之月秋之涼正在戌亥之月冬之寒正在
丑寅之月春始於仲春夏始於仲夏秋始於仲
秋冬始於仲冬故丑之月陰結層冰於厚地未
之月陽焰電掣於天垂戌之月霜清肅殺而無
物堅辰之月風扇和舒而陳柯榮秀此則氣差
其分昭然而不可蔽也然陰陽之氣生發收藏
與常法相會徵其氣化及在人之病則四時每
差其日數與常法相違從差法乃正當之也
故大要曰彼春之暖為夏之暑彼秋之忿為冬
之怒謹按四維斥候皆歸其終可見其始可知

乃逆故方若順是逆也故曰知標與本用之不殆明知逆順正行無問此之謂也不知是者不足以言診足以亂經故大要曰粗工嘻嘻以為可知言熱未已寒病復始同氣異形迷診亂經此之謂也

嘻嘻悅也言心意怡悅以為知道終盡也六氣之用粗之與工得其半也厥陰之化粗以為寒其乃是溫太陽之化粗以為熱其乃是寒由此差互用失其道故其學問識用不達工之道半矣夫太陽少陰各有寒化熱量其標本應用則正反矣何以言之太陽本為寒標為熱少陰本為熱標為寒方之用亦如是也厥陰陽明中氣亦爾厥陰之中氣為熱陽明之中氣為濕此二氣亦反其類太陽少陰也然太陽與少陰有標本用與諸氣不同故曰同氣異形也夫一經之標本寒熱既殊言本當究其標論標合尋其本言氣不窮其標本論病未辨其陰陽雖同一氣而

主且阻寒溫之候故心迷正理治
益亂經呼曰粗工凶凶其稱爾夫標本之道
要而博小而大可以言一而知百病之害言標
與本易而勿損察本與標氣可令調明知勝復
為萬民式天之道畢矣天地變化尚可盡知況
一人之診而云冥昧得
經之要持法之宗為天下師尚畢其道萬民之
式豈曰大哉○新校正云按標本病傳論云有
其在標而求之於標有其在本而求之於本有
其在本而求之於標有其在標而求之於本故
治有取標而得者有取本而得者有逆取而得
者有從取而得者故知逆與從正行無問知標
本者萬舉萬當不知標本是為妄行夫陰陽逆
從標本之為道也小而大言一而知百病之害
少而多淺而博可以言一而知百也以淺而知
深察近而知遠言標與本易而勿及治反為逆
治得為從先病而後逆者治其本先逆而後病
者治其本先寒而後生病者治其本先熱而後生

此之謂也言氣之少壯也陽之少爲暖其壯也爲暑陰之少爲壯其壯也爲怒其悉謂少壯之異氣證用之盛衰但立盛衰於四維之位則陰陽終始應用皆可知矣帝曰差有數乎岐伯曰又凡三十度也度日也○新校正云按六元正紀大論云差有數乎曰後皆三十度而有奇也此云三十度也者此文爲略帝曰其脉應皆何如岐伯曰差同正法待時而去也脉亦差以隨氣應也待差日足應王氣至而乃去也脉要曰春不沉夏不弦冬不濇秋不數是謂四塞天地四時之氣閉塞而不所運行也沉甚曰病弦甚曰病濇甚曰病數甚曰病但應天和氣是則爲平形見大甚則爲力致以力而致安能久乎故其甚皆病參見曰病復見曰病未去而去曰病去而不去曰病參謂參和諸氣

來見後見謂再見見已衰已死之氣也去謂王已而去者也日行之度未出於差是為大氣未出月度過差是為天氣已去而脉尚在既非得應故曰病反者死夏見沈數見數冬見緩春見濇是謂反也犯違天命生其能久乎○新校正云詳上文秋不數是謂四塞此注云數見數是謂反蓋以脉差只在仲月差之度盡而數不去謂秋之季月而脉尚數則為反也故曰氣之相守司也如權衡之不得相失也權衡秤也天地之氣寒暑相對溫清相望如持秤也高者石下者否兩者齊等無相奪倫則清靜而生化各得其分也夫陰陽之氣清靜則生化治動則苛疾起此之謂也動謂變動常平之候而為災眚也苛重也○新校正云按六微旨大論云成敗倚伏生乎動動而不已則變作矣帝曰幽明何如岐伯曰兩陰交盡故曰幽兩陽合明故曰明幽明之配

寒暑之異也

兩陰交盡於戌亥兩陽合明於辰巳靈樞繫日月論云亥十月左足之厥陰戌九月右足之厥陰此兩陰交盡故曰厥陰辰三月左足之陽明巳四月右足之陽明此兩陽合於前故曰陽明然陰交則幽陽合則明幽明之象當由是也寒暑位西南東北幽明位西北東南幽明之配寒暑之位誠斯異也○新校正云按大始天元冊文云幽明既位寒暑弛張

帝曰分至何如岐伯曰氣至之謂至氣分之謂分至則氣同分則氣異所謂天地之正紀也

因幽明之間而形斯義也言冬夏二至是天地氣主歲至其所在也春秋二分是間氣初二四五四氣各分其政於主歲左右也故曰至則氣同分則氣異也所言二至二分之氣配者此所謂是天地氣之正紀也

帝曰夫子言春秋氣始于前冬夏氣始于後余已知之矣然六氣往復主歲不常

也其補寫奈何以分至明六氣分位則初氣四氣始於立春立秋前各一十五日爲紀法三氣六氣始於立夏立冬後各一十五日爲紀法由是四氣前後之紀則三氣六氣之中正當二至日也故曰春秋氣始于前冬夏氣始于後也然以三百六十五日易一氣一歲已往氣則改新新氣既來舊氣復去所宜之味天地不同補寫之方應知先後故復以問之也

歧伯曰上下所主隨其攸利正其味則其要也左右同法大要曰少陽之主先甘後鹹陽明之主先辛後酸大陽之主先鹹後苦厥陰之主先酸後辛少陰之主先甘後鹹大陰之主先苦後甘佐以所利資以所生是謂得氣主謂主歲得謂得其性用也得其性用則舒卷由人不得性用則動生乖忤豈驗卯之可袪乎適足以伐天眞之妙氣爾

（如是先後之味皆謂有病先爲之而後補之也）帝曰善夫百病之生也皆生於風寒暑濕燥火以之化之變也（風寒暑濕燥火天之六氣也靜而順者爲化動而變者爲變故曰之化之變也）經言盛者寫之虛者補之余錫以方士而方士用之尚未能十全余欲令要道必行桴鼓相應由拔刺雪汙工巧神聖可得聞乎（鍼曰上工巧藥曰神聖○新校正云按難經云望而知之謂之神聞而知之謂之聖問而知之謂之工切脉而知之謂之巧以外知之曰聖以內知之曰神）岐伯曰審察病機無失氣宜此之謂也（得其機要則動小而功大用淺而功深也）帝曰願聞病機何如岐伯曰諸風掉眩皆屬於肝（風性動木氣同之）諸寒收引皆屬於腎

收謂斂也引謂急也寒物收縮水氣同也諸氣膹鬱皆屬於肺高秋氣涼霧氣煙集涼至則氣熱後甚則氣殫微其物萎屬可知矣膹謂膹滿鬱謂奔迫也氣之爲用金氣同之諸濕腫滿皆屬於脾土薄則水淺土厚則水深土平則乾土高則濕濕氣之有土氣同之諸熱瞀瘛皆屬於火火象微諸痛癢瘡皆屬於心心寂則病微心躁則痛甚百端之起皆息生痛痒瘡瘍生於心也諸厥固泄皆屬於下下謂下焦肝腎氣也夫守司於下腎之氣也門戶束要肝之氣也故諸厥固泄皆屬下也厥謂氣逆固謂禁固諸有氣逆上行及固不禁出入无度燥濕不恒皆由下焦之主守也諸痿喘嘔皆屬於上上謂上焦心肺氣也炎熱薄爍心之氣也承熱分化肺之氣也熱鬱化上故病屬上焦（ ）新校正云詳痿之爲病故非上病王注不解所以屬上之由使後人疑議今按痿論云五藏使人痿者因肺熱葉焦發爲

（痿躄故云屬於上也。痿又謂肺痿也。）諸禁鼓慄，如喪神守，皆屬於火。（熱之內作。）諸痙項強，皆屬於濕。（大陽傷濕。）諸逆衝上，皆屬於火。（炎上之性用也。）諸脹腹大，皆屬於熱。（熱鬱於內，肺脹所生。）諸躁狂越，皆屬於火。（熱盛於胃，及四末也。）諸暴強直，皆屬於風。（陽內鬱而陰行於外。）諸病有聲，鼓之如鼓，皆屬於熱。（謂有聲也。）諸病胕腫，疼酸驚駭，皆屬於火。（諸氣多也。）諸轉反戾，水液渾濁，皆屬於熱。（反戾筋轉也。水液小便也。）諸病水液，澄澈清冷，皆屬於寒。（上下所出及吐出溺出也。）諸嘔吐酸，暴注下迫，皆屬於熱。（酸，酸水及沫也。）故大要曰：謹守病機，各司其屬，有者求之，無者求之，盛者責之，虛者責之必先五勝疏其血氣令其調達而致和平此之謂也深乎聖人之言理宜然也有無求之虛盛責之言悉由也夫如大寒而甚熱之不熱是無火也熱來復去晝見夜伏夜發晝止時節而動是無火也當助其心又如火熱而甚寒之不寒是無水也熱動復止倏忽往來時動時止是無水也當助其腎內格嘔逆食不得入是有火也病嘔而吐食入反出是無火也暴速注下食不及化是無水也溏泄而久止發無恒是無水也故心盛則生熱腎盛則生寒腎虛則寒動於中心虛則熱收於內又熱不得寒是無火也寒不得熱是無水也夫寒之不寒責其無水熱之不熱責其無火熱之不久責心之虛寒之不久責腎之少有者寫之無者補之虛者補之盛者寫之居其中間疏者壅塞令上下無礙氣血通調則寒熱自和陰陽調達矣是以方有治熱以寒寒之而火食不入攻寒以熱熱之而昏躁以生此則氣不疏通壅而為是也紀於水火餘氣可知故曰有者求之無者求

之盛者責之虛者責之令氣通調妙之道也五勝謂五行更勝也先以五行寒暑溫涼濕酸鹹甘辛苦相勝爲法也帝曰善五味陰陽之用何如岐伯曰辛甘發散爲陽酸苦涌泄爲陰鹹味涌泄爲陰淡味滲泄爲陽六者或收或散或緩或急或燥或潤或耎或堅以所利而行之調其氣使其平也涌吐也泄利出也滲泄小便也言水液自迴腸泄出也○新校正云按藏氣法時論云辛散酸收甘緩苦堅鹹耎又云辛酸甘苦鹹各有所利淡別汁滲入膀胱之中胞氣化之而爲溺以或散或收或緩或急或堅或耎四時五藏病隨五味所宜也帝曰非調氣而得者治之奈何有毒無毒何先何後願聞其道夫病生之類其有四焉一者始因氣動而內有所成二者因氣動而外有所成三者不因氣動

而病生於內四者不因氣動而病生於外夫因氣動而內成者謂積聚癥瘕瘤氣癭起結核癲癎之類也外成者謂癰腫瘡瘍痂疥疽痔掉瘛浮腫目赤瘭胗胕腫痛癢之類也不因氣動而病生於內者謂留飲癖食飢飽勞損宿食霍亂悲恐喜怒想慕憂結之類也生於外者謂瘴氣賊魅蟲蛇蠱毒蜚尸鬼擊衝薄墜墮風寒暑濕斫射刺割捶扑之類也如是四類有獨治內而愈者有兼治內而愈者有獨治外而愈者有兼治外而愈者有先治內而後治外而愈者有先治外後治內而愈者有須齊毒而攻擊者有須无毒而調引者凡此之類方法所施或重或輕或緩或急或收或散或潤或燥或耎或堅方士之用見解不同各擅己心好丹非素故復問之

岐伯曰有毒無毒所治為主適大小為制也但言能破積愈疾解急脫死則為良方非必要言以先毒為是後毒為非无毒為非有毒為是必量病輕重大小制之也帝曰請言其制岐伯曰君一臣二制

之小也君一臣三佐五制之中也君一臣三佐九制之大也寒者熱之熱者寒之微者逆之甚者從之夫病之微小者猶人火也遇草而焫得木而燔可以濕伏可以水滅故逆其性氣以折之攻之病之大甚者猶龍火也得濕而焰遇水而燔不知其性以水濕折之適足以光焰詣天物窮方止矣識其性者反常之理以火逐之則燔灼自消焰光撲滅然逆之謂以寒攻熱以熱攻寒從之謂攻以寒熱雖從其類用不必皆同是以下文曰逆者正治從者反治從少從多觀其事也此之謂乎○新校正云按神農云藥有君臣佐使以相宣攝合和宜用一君二臣三佐五使又可一君二臣九佐使也堅者削之客者除之勞者溫之結者散之留者攻之燥者濡之急者緩之散者收之損者益之逸者行之驚者平之上之

下之摩之浴之薄之劫之開之發之適事爲故
量病證候適事用之帝曰何謂逆從岐伯曰逆者正治從
者反治從少從多觀其事也言逆者正治也從者反治也逆病氣
而正治則以寒攻熱以熱攻寒雖從順病氣乃反治法也從少謂一同而二異從多謂二同而
三異也言盡同者是奇制也帝曰反治何謂岐伯曰熱因寒
用寒因熱用塞因塞用通因通用必伏其所主
而先其所因其始則同其終則異可使破積可
使潰堅可使氣和可使必已天大寒內結積聚疝瘕以熱攻除寒
格熱反縱反縱之則痛發尤甚攻之則熱不得前方以蜜煎烏頭佐之以熱蜜多其藥服已便
消是則張公從此而以熱因寒用也有火氣動服冷已過熱為寒格而身冷嘔噦嗌乾口苦惡

熱好寒衆議彼同咸呼爲熱冷治則甚其如之
何逆其好則拒治順其欠則加病若調寒熱逆
冷熱必行則熱物冷服下嗌之後冷躰既消熱
性便發由是病氣隨愈嘔噦皆除情且不違而
致大益醇酒冷飲則其類矣是則熱因寒用也
所謂恣熱者凡諸食餘氣主於生者○新校正
云詳主字疑誤上見之已嘔也又病熱者寒攻
不入惡其寒勝熱乃消除從其氣則熱增寒攻
之則不入以豉豆諸冷藥酒漬或溫而服之酒
熱氣同固無違忤酒熱飲盡寒藥下行從其服
食熱便隨散此則寒因熱用也或以諸冷物熱
齊和之服之食之熱復圍澼是亦寒因熱用也
又熱食猪肉及粉葵乳以椒薑橘熱齊和之亦
其類也又熱在下焦治亦然假如下氣虛乏中
焦氣壅胠脅滿甚食已轉增粗工之見無能斷
也欲散滿則恐虛其下補下則滿甚於中散
則下焦轉虛補虛則中滿滋甚醫病參議言意
皆同不救其虛且攻其滿藥入則減藥過依然
故中滿下虛其病常在乃不知疏啓其中峻補
於下少服則資壅多服則宣通由是而療中滿

自除下虛斯實此則塞因塞用也又太熱內結注泄不止熱宜寒療結復須除以寒下之結散利止此則通因通用也又大寒凝內久利虛泄愈而復發綿歷歲年以熱下之寒去利止亦其類也投寒以熱涼而行之投熱以寒溫而行之始同終異斯之謂也諸如此等其徒寔繁略舉宗兆猶是反治之道斯其類也○新校正云詳五常政大論云治熱以寒溫而行之治寒以熱涼而行之亦熱因寒用寒因熱用之義也帝曰善氣調而得者何如岐伯曰逆之從之逆而從之從而逆之疏氣令調則其道也逆謂逆病氣以正治從謂從病氣而反療逆其氣以正治使其從順從其病以反取令彼和調故曰逆從也不疏其氣令道路開通則氣感寒熱而爲變始生化多端也帝曰善病之中外何如岐伯曰從內之外者調其內從外之內者治其外各絕其源從內之外而

盛於外者先調其內而後治其外從外之內而盛於內者先治其外而後調其內（皆謂先除其根屬後削其枝條）中外不相及則治主病（中外不相及自各一病也）帝曰善火熱復惡寒發熱有如瘧狀或一日發或間數日發其故何也岐伯曰勝復之氣會遇之時有多少也陰氣多而陽氣少則其發日遠陽氣多而陰氣少則其發日近此勝復相薄盛衰之節瘧亦同法（陰陽齊等則一日之中寒熱相半陽多陰少則一日一發而但熱不寒陽少陰多則隔日發而先寒後熱雖復勝之氣若氣盛則一發後六七日乃發時謂之愈而復發或頻三日發而六七日止或隔十日發而四五日止者皆由氣之多少會遇與不會遇也俗見不

遠乃謂鬼神暴疾而久所禱避匿病勢已過旋至其斃病者殞殁自謂其分致令冤魂塞於冥路夭死盈於曠野仁愛鑒茲能不傷楚習俗既久難卒釐革非復可改末如之何悲哉悲哉

帝曰：論言治寒以熱，治熱以寒，而方士不能廢繩墨而更其道也。有病熱者寒之而熱，有病寒者熱之而寒，二者皆在，新病復起，奈何治？謂治之而病不衰退反因藥寒熱而隨生寒熱病之新者也亦有止而復發者亦有藥在而除藥去而發者亦有全不息者方士若廢此繩墨則無更新之法欲依標格則病勢不除捨之則阻彼凡情治之則藥無能驗心迷意惑無由通悟不知其道何恃而為因藥病生新舊相對欲求其愈安可奈何

岐伯曰：諸寒之而熱者取之陰，熱之而寒者取之陽，所謂求其屬也。言益火之源以消陰翳壯水之主以制陽

乎故曰求其屬也夫粗工褊淺斈未精深以熱攻寒以寒療熱治熱未已而冷疾已生攻寒日
深而熱病更起熱起而中寒尚在寒生而外熱不除欲攻寒則懼熱不前欲療熱則思寒又止
進退交戰危亟已臻豈知藏府之源有寒熱溫凉之主哉夫取心者不必齊以熱取腎者不必
齊以寒但益心之陽寒亦通行強腎之陰熱之猶可觀斯之故或治熱以熱治寒以寒萬舉萬
全孰知其意思方智極理盡辭窮嗚呼人之死者豈謂命不謂方士愚昧而殺之耶帝曰
善服寒而反熱服熱而反寒其故何也岐伯曰
治其王氣是以反也物體有寒熱氣性有陰陽觸王之氣則強其用也夫
肝氣溫和心氣暑熱肺氣清凉腎氣寒冽脾氣兼并之故也春以清治肝而反溫夏以冷治心
而反熱秋以溫治肺而反清冬以熱治腎而反寒蓋由補益王氣大甚也補王大甚則藏之寒
熱氣自多矣帝曰不治王而然者何也岐伯曰悉乎

哉問也不治王味屬也夫五味入胃各歸所喜攻酸先入肝苦先入心甘先入脾辛先入肺鹹先入腎新校正云按宣明五氣篇云五味所入酸入肝辛入肺苦入心鹹入腎甘入脾是謂五入久而增氣物化之常也氣增而久夭之由也夫入肝為溫入心為熱入肺為清入腎為寒入脾為至陰而四氣兼之皆為增其味而益其氣故各從本藏之氣用爾故久服黃連苦參而反熱者此其類也餘味皆然但人疎忽不能精候耳故曰久而增氣物化之常也氣增不已益歲年則藏氣偏勝氣有偏勝則有偏絕藏有偏絕則有暴夭者故曰氣增而久夭之由也是以正理觀化藥集商較服餌之藥不具五味不備四氣而久服之雖且獲勝益久必致暴夭此之謂也絕粒服餌則不暴亡斯何由哉無五穀味資助故也復令食穀其亦夭焉帝曰善方制君臣何謂也岐

伯曰主病之謂君佐君之謂臣應臣之謂使非上下三品之謂也上藥爲君中藥爲臣下藥爲佐使所以異善惡之名位服餌之道當從此爲法治病之道不必皆然以主病者爲君佐君者爲臣應臣之用者爲使皆所以贊成方用也帝曰三品何謂岐伯曰所以明善惡之殊貫也三品上中下三品此明藥善惡不同性用也○新校正云按神農云上藥爲君主養命以應天中藥爲臣主養性以應人下藥爲佐使主治病以應地帝曰善病之中外何如前問病之中外謂調氣之法今此未盡故復問之此下對當次前求其屬也之下應古之錯簡也岐伯曰調氣之方必別陰陽定其中外各守其鄉內者內治外者外治微者調之其次平之盛者奪之汗之下之寒熱溫涼衰

之以屬隨其攸利病有中外治有表裏在内者以内治法和之在外者以外治法和之其次大者以平氣法平之盛甚不已則奪其氣令其衰也假如小寒之氣温以和之大寒之氣熱以取之甚寒之氣則下奪之奪之不已則逆折之折之不盡則求其屬以衰之小熱之氣涼以和之大熱之氣寒以取之甚熱之氣則汗發之發之不盡則逆制之制之不盡則求其屬以衰之故曰汗之下之寒之熱之温涼衰之以屬隨其攸利攸所也謹道如法萬舉萬全氣血正平長有天命守道以行舉無不中故能驅役草石召遣神靈調御陰陽蠲除擾疾血氣保平和之攸天真無耗竭之由夫如是者蓋以舒卷在心去留從意故精神内守壽命靈長帝曰善

新刊黃帝内經素問卷二十二

新刊黄帝内經素問卷二十三

啓玄子次註林億孫奇高保衡等奉敕校正孫兆重改誤

○著至教論篇第七十五

新校正云：按全元起本在四時病類論之篇末

黄帝坐明堂，召雷公而問之曰：子知醫之道乎？明堂，布政之宮也。八窻四闥，上圓下方，在國之南，故稱明堂。夫求民之瘼，恤民之隱，大聖之用心，故召雷公問極濟生靈之道。雷公對曰：誦而頗能解，解而未能別，別而未能明，明而未能彰。言所知解，但得法守數而已猶未能深盡精微之妙用也○新校正云按楊上善云習道有五一誦二解三別四明五彰足以治群僚不足至侯王公不敢自高其道然則布衣與血食主療亦殊矣願得受樹天之度四時陰陽合之別星辰與日月光以彰經術後世益明樹天之度言高遠不極四時陰陽合之言順氣序也別星辰與日月光言別學者二明大小異也○新校正云按大素別作列字上通神農著至教疑於二皇公欲其經法明著通於神農使後世見之疑是二皇並行之教○新校正云按全元起本及大素疑作擬帝曰善無失之此皆陰陽表裏上下雌雄相輸應也而道上知天文下知地理中知人事可以長久以教衆庶亦不疑殆醫道論篇可傳後世可以爲寶以明

著故

雷公曰：請受道諷誦用解。誦亦諭也。諷諭者，所以比切近而令解也。

帝曰：子不聞陰陽傳乎？曰：不知。曰：夫三陽天為業。天爲業，言三陽之氣在人身形所行居上也。陰陽傳，上古書名。化者○新校正云：按太素天作大。

上下無常，合而病至，偏害陰陽。上下无常，言氣乘通不定，在上下也。合而病至，謂手足三陽氣相合而爲病至也。陽并至則精氣微，故偏損害陰陽之用也。

雷公曰：三陽莫當，請聞其解。莫當，言氣并至而不可當。

帝曰：三陽獨至者，是三陽并至，并至如風雨，上爲巔疾，下爲漏病。并至，謂手三陽、足三陽氣并合而至也。足太陽脉起於目内眥，上額交巔上；其支別者，從巔至耳上角；其直行者，從巔入絡腦，還出別下項，循肩髆內，俠脊抵腰中，入循膂，絡腎屬膀胱。手太陽脉起於手，循臂上行，交肩上，入缺盆，絡心，循咽，下鬲，抵胃爲小腸故上爲巔疾下爲漏病也漏血膿出所謂并至如風雨者言无常準也故下文上○新校正云按楊上善云漏病謂膀胱漏洩大小便數不禁守也外無期內
無正不中經紀診無上下以書別言三陽并至上下无常外
无色氣可期內无正經常尓所至之時皆不中經脉綱紀所病之證又復上下无常以書記銓量乃應分別尓
雷公曰臣治踈愈說意而已雷公言臣之所治稀
得痊愈請言深意而已疑心乃止也謂得說則疑心乃止帝曰三陽者至陽
也六陽并合故曰至盛之陽也積并則爲驚病起疾風至如
礔礰九竅皆塞陽氣滂溢乾嗌喉塞積謂重也言六陽重
并洪盛莫當陽憤鬱惟盛是爲滂溢无涯故九竅塞也并於陰則上下無
常薄爲腸澼陰謂藏也然陽薄於藏爲病亦上下无常定之診若在下爲病便數

赤白此謂三陽直心坐不得起臥者便身全三陽之病足大陽脈循肩下至腰故坐不得起臥便身全也所以然者起則陽盛故常欲得臥臥則經氣約故身安全○新校正云按甲乙經便身全作身重且以知天下何以別陰陽應四時合之五行言知未備也雷公曰新校正云按自此至篇末全元起本別為一篇名方盛衰也陽言不別陰言不理請起受解以為至道帝未許為深知故重請也帝曰子若受傳不知合至道以惑師教語子至道之要不知其要流散無窮後世相習去聖久遠學者各自是其法則惑亂於師氏之教旨矣病傷五藏筋骨以消子言不明不別是世主學盡矣言病之深重尚不明別然輕微者亦何開愈令得遍知耶案然由是不知明世主學盡

之道從斯尽矣腎且絕惋惋日暮從容不出人事不殺夫藏之易知者也然腎脉且絕則心神内爍筋骨脉肉日晚酸空也暮晚也若以此之類諸藏氣但少不出者當人事萎弱不復殺多所以尔者是則腎不足非傷損故也○新校正云按太素作腎且絕死死日暮惋烏貫切

○示從容論篇第七十六新校正云按全元起本在第八卷名從容別白黑

黄帝燕坐召雷公而問之曰汝受術誦書者若能覽觀雜學及於比類通合道理爲余言子所長五藏六府膽胃大小腸脾胞膀胱腦髓涕唾哭泣悲哀水所從行此皆人之所生治之過失

五藏別論黃帝問曰余聞方士或以髓腦爲藏或以腸胃爲藏或以爲府敢問更相反皆自謂是不知其道願聞其說岐伯曰腦髓骨脈膽女子胞此六者地氣之所生也皆藏於陰而象於地故藏而不寫各曰奇恒之府夫胃大腸小腸三焦膀胱此五者天氣之所生也其氣象天寫而不藏此受五藏濁氣故名曰傳化之府是以古之治病者以爲過失也子務明之可以十全即不能知爲世所怨不能知之動陽生者故人聞議論多有怨咎之心焉雷公曰臣請誦脈經上下篇甚衆多矣別異比類猶未能以十全又安足以明之言臣所請誦脈經兩篇衆多別異比類例猶未能以義而會見十全又何足以心明至理乎安徧何也帝曰子別試通五藏之過六府之所不和鍼石之敗毒藥所宜湯液滋味具言其狀悉言以

對請問不知過謂過失所謂不率常候而生病者也毒藥攻邪滋味充養試公之
問知與不知尒〇新校正云按大素別試作誠別雷公曰肝虛腎虛脾
虛皆令人體重煩寃當投毒藥刺灸砭石湯液
或已或不已願聞其解公以帝問使言五藏之過毒藥湯液滋味故問
此病也帝曰公何年之長而問之少余眞問以自
謬也言問之不相應也以問不相應故言余眞發問以自招謬誤之對也吾問子
窈冥子言上下篇以對何也窈冥謂不可見者則形氣榮衛也八
正神明論岐伯對黃帝曰觀其冥冥者言形氣榮衛之不形於外而工獨知之以日之寒溫月
之虛盛四時氣之浮沉參伍相合而調之工常先見之然而不形於外故曰觀於冥冥焉由此
帝故曰吾問子窈冥也然肝虛腎虛脾虛則上下篇之旨帝故曰子言上下篇以對何也

夫脾虛浮似肺腎小浮似脾肝急沉散似腎此皆工之所時亂也然從容得之脾虛脉浮候則似肺腎小浮土候則似脾肝急沉散候則似腎者何以然以三藏相近故脉象參差而相類也是以工惑亂之為治之過失矣雖尔乎尤宜從容安緩審比類之而待三藏之形候矣何以取之然浮而緩曰脾浮而短曰肺小浮而滑曰心急緊而散曰肝搏沉而滑曰腎不能比類則疑亂彌甚若夫三藏土木水參居此童子之所知問之何也脾合土肝合木腎合水三藏皆在鬲下居止相近也雷公曰於此有人頭痛筋攣骨重怯然少氣噦噫腹滿時驚不嗜臥此何藏之發也脉浮而弦切之石堅不知其解復問所以三藏者以知其比類也脉有浮弦石堅故云問所

以三藏者以知其比類也帝曰夫從容之謂也言比類也夫年長則求之於府年少則求之於經年壯則求之於藏年之長者甚於味年之少者勞於使年之壯者過於內過於內則耗傷精氣勞於使則經中風邪恣於味則傷於府故求之異也今子所言皆失八風菀熟五藏消爍傳邪相受夫浮而弦者是腎不足也脉浮為虛弦為肝氣以腎氣不足故脉浮弦也[illegible]胡阬切沉而石者是腎氣內著也石之言堅也著謂腎氣內薄著而不行也怯然少氣者是水道不行形氣消索也腎氣不足故水道不行肺藏被衝故形氣消散索盡也欬嗽煩寃者是腎氣之逆也腎氣內著上歸於母也一人之氣病在一藏也若言三藏俱行不在法也

經不然也雷公曰於此有人四支解墮喘欬血泄而愚診之以爲傷肺切脉浮大而緊愚不敢治粗工下砭石病愈多出血血止身輕此何物也帝曰子所能治知亦衆多與此病失矣以爲傷肺而不敢治是乃狂見法所失矣固方念切譬以鴻飛亦冲於天鴻飛冲天偶然而得豈其羽翮之所能哉粗工下砭石亦尤是矣夫聖人之治病循法守度援物比類化之冥冥循上及下何必守經經謂經脉非經法也今夫脉浮大虛者是脾氣之外絕去胃外歸陽明也足大陰絡上入別者入絡腸胃是以脾氣外絕不至胃外歸陽明也夫二火不勝三水是以脉亂而無常也二火謂二陽藏

二水謂三陰藏二陽藏者心肺也以在鬲上故三陰藏者肝脾腎也以在鬲下故然三藏之氣上勝二陽二不勝陰故脉乱而无常也四支解墮此脾精之不行也土主四支故四支解墮脾精不化故使之然喘欬者是水氣并陽明也腎氣逆入於胃故水氣并於陽明血泄者脉急血無所行也泄謂泄出也然脉氣數急血溢於中血不入經故為血泄以脉奔急而血溢故曰血无所行也若夫以爲傷肺者由失以狂也不引比類是知不明也言所識不明不能比類以爲傷肺由失狂言耳夫傷肺者脾氣不守胃氣不清經氣不爲使真藏壞決經脉傍絕五藏漏泄不衄則嘔此二者不相類也肺氣傷則脾外救故云脾氣不守肺藏損則氣不行氣不行則胃滿故云胃氣不清肺者主行榮衛

陰陽故肺傷則經脈不能爲之行使也眞藏謂肺藏也若肺藏損壞皮膜決破經脈傍絕而不流行五藏之氣上溢而漏泄者不衄血則嘔血也何者肺主鼻胃應口也然口鼻者氣之門戶也今肺藏已損胃氣不清不上衄則血下流於胃中故不衄出則嘔出也然傷肺傷脾衄血泄血標出且異本歸亦殊故此二者不相類也

譬如天之無形地之無理白與黑相去遠矣言傷肺傷脾形證懸別譬天地之相遠如黑白之異象也

是失吾過矣以子知之故不告子是猶此也言雷公子之此見病跡者是吾不告于比類之道故自謂過也

明引比類從容是以名曰診輕新校正云按太素作經是謂至道也明引形證比量類例今從容之旨則輕微之者亦不失矣所以然者何哉以道之至妙而能尔也從容上古經篇名也何以合之陰陽類論雷公曰臣悉盡意受傳經脈須得從容之道以合從容明古文有從容矣

○疏五過論篇第七十七
新校正云按全元起本在第八卷名論過失

黃帝曰嗚呼遠哉閔閔乎若視深淵若迎浮雲視深淵尚可測迎浮雲莫知其際嗚呼遠哉歎至道之不極也閔閔乎言妙用之不窮也深淵清澄見之必定故可測浮雲漂寓際不守常故莫知○新校正云詳此文與六微旨論文重聖人之術爲萬民式論裁志意必有法則循經守數按循醫事爲萬民副故事有五過四德汝知之乎疏五過則敬順四時之德氣矣然德者道之用生之主故不可不敬順之也上古天真論曰所以能年皆度百歲而動作不衰者以其德全不危也靈樞經曰天之在我者德也由此則天降德氣人賴而生生氣通神上通於天生氣通天

論曰：夫自古通天者生之本，此之謂也。○新校正云：按「爲萬民副」，楊上善云：副，助也。雷公避席再拜曰：臣年幼小，蒙愚以惑，不聞五過與四德，比類形名，虛引其經，心無所對。經未師授，心匪注也。功業微薄，故畢辭也。帝曰：凡未診病者，必問嘗貴後賤，雖不中邪，病從內生，名曰脫營。神屈故也。貴之尊榮，賤之屈辱，心懷眷慕，志結憂惶，故雖不中邪，而病從內生，血脉虛減，故曰脫營。嘗富後貧，名曰失精，五氣留連，病有所并。富而從欲，貧奪豐財，內結憂煎，外悲過物，然則心從想慕，神隨往計，榮衛之道，閉以遲留，氣血不行，積并爲病。醫工診之，不在藏府，不變軀形，診之而疑，不知病名。言病之初也。病由想戀所爲，故未居藏府，事因情念所起，故不變軀形，醫不悉之，故診而疑也。身體日減氣虛無精言病之次也氣血相迫形肉消爍故身體日減陰陽應象大論曰氣歸精精食氣今氣虛不化精無所滋故也病深無氣洒洒然時驚言病之深也病氣深穀氣盡陽氣內薄故惡寒而驚洒洒寒貌病深者以其外耗於衛內奪於榮血為憂煎氣隨悲減故外耗於衛內奪於榮病深者何以此耗奪故爾○新校正云按太素病深者以其作病深以甚良工所失不知病情此亦治之一過也失謂失問其所始也

凡欲診病者必問飲食居處飲食居處五方不同故問之也異法方宜論曰東方之域天地之所始生魚鹽之地海濱傍水其民食魚而嗜鹹皆安其處美其食西方金玉之域沙石之處天地之所收引其民陵居而多風水土剛強其民不衣而褐薦其民華食而脂肥北方者天地所閉藏之域其地高陵居風寒冰冽其民樂野處而乳食南方者天地所長養陽之所盛處其地下水

土弱霧露之所聚其民嗜酸而食胕中央者其地平以濕天地所以生萬物也衆其民食雜而不勞由此則診病之道當先問焉故聖人雜合以法各得其所宜此之謂矣暴樂暴苦始樂後苦新校正云按大素作始苦皆傷精氣精氣竭絕形體毀沮喜則氣緩悲則氣消然悲哀動中者竭絕而失生故精氣竭絕形軀殘毀心神沮喪矣暴怒傷陰暴喜傷陽怒則氣逆故傷陰喜則氣緩故傷陽厥氣上行滿脉去形厥氣逆也逆氣上行滿於絕絡則神氣憚散去離形骸矣愚醫治之不知補寫不知病情精華日脫邪氣廼并此治之二過也不知喜怒哀樂之殊情槩爲補寫而同貫則五藏精華之氣日脫邪氣薄蝕而乃并於正真之氣矣善爲脉者必以比類奇恒從容知之爲工而不知道此診之不足貴

此治之三過也奇恒謂氣候奇異於恒常之候也從容謂分別藏氣虛實脉見高下幾相似也示從容論曰脾虛浮似肺腎小浮似脾肝急沉散似腎此皆工之所時亂然從容分別而得之矣診有三常必問貴賤封君敗傷及欲侯王貴則形樂志樂賤則形苦志苦苦樂柴貫故先問也封君敗傷降君之位封公卿也及欲侯王謂情慕尊貴而妄爲不已也○新校正云按大素欲作公故貴脫勢雖不中邪精神内傷身必敗亡憂惶煎迫怫結所爲始富後貧雖不傷邪皮焦筋屈痿躄爲攣以五藏氣留連病有所并而爲是也醫不能嚴不能動神外爲柔弱亂至失常病不能移則醫事不行此治之四過也嚴謂戒所以禁非也所以令從命也外爲柔弱言委隨而順從也然戒不足以禁非動不足以從令委隨任[illegible]

亂失天常，病且不移，何醫之有也。

凡診者必知終始，有知餘緒，始終謂氣色也。脈要精微論曰：知外者終而始之，明知五色氣象，終而復始也；餘緒謂病發端之餘緒也。切謂以指按脈也。問名謂問病證之名也。

切脈問名，當合男女，男子陽氣多而左脈大為順，女子陰氣多而右脈大為順，故宜以候常先合之也。

離絕菀結，憂恐喜怒，五藏空虛，血氣離守，工不能知何術之語，離謂離間親愛，絕謂絕念所懷，菀謂菀積思慮，結謂結固餘怨。夫間親愛者魂遊，絕所懷者意喪，積所慮者神勞，結餘怨者志苦，憂愁者閉塞而不行，恐懼者蕩憚而失守，盛怒者迷惑而不治，喜樂者憚散而不藏，由是八者，故五藏空虛，血氣離守，工不思曉，又何言哉。○新校正云：按蕩憚而失守，甲乙經作不收，憚音但。

嘗富大傷，斬筋絕脈，身體復行，令澤不息，斬筋絕脈，言非分之遇損也。身體雖已復舊而行

行且令津液不爲滋息也何者精氣耗減也澤液也故傷敗結留薄歸陽
膿積寒炅陽謂諸陽脉及六府也炅謂熱也言非分傷敗筋脉之氣血氣內結留而
不去薄於陽脉則化爲膿也久積腹中而外爲寒熱也粗工治之亟刺陰陽
身體解散四支轉筋死日有期不知寒熱爲膿積所生以爲常
熱之疾槩施其法數刺陰陽經脉氣奪病甚故身體解散而不用四支廢運而轉筋如是故死
日有期豈謂命不謂醫耶醫不能明不問所發唯言死日亦
爲粗工此治之五過也言粗工不必謂解不循學者縱循蓋三世經法
於不循二常療不指五過不求餘緒不問持身亦是爲粗略之醫爾凡此五者皆
受術不通人事不明也言是五者粗名受術之徒未是以通悟精微之
理人間之事尚備識然故曰聖人之治病也必知天地陰

陽四時經紀五藏六府雌雄表裏刺灸砭石毒藥所主從容人事以明經道貴賤貧富各異品理問年少長勇怯之理審於部分知病本始八正九候診必副矣（聖人之備識也如此工宜勉之）治病之道氣內為寶循求其理求之不得過在表裏（工之治病必在於形氣之內求有過者是為聖人之寶也求之不得則以藏府之氣陰陽表裏而察之○新校正云按全元起本及大素作氣內為寶揚上善云天地間氣為外氣人身中氣為內氣外氣裁成萬物是為外寶內氣榮衛裁生故為內寶治病能求內氣之理是治病之要也）守數據治無失俞理能行此術終身不殆（守數謂血氣多少及刺深淺之數也據治謂據穴俞所治之旨而用之也但守數據治而用之則不失穴俞之理矣）

癸者瘡也不知俞理五藏菀熟癰發六府菀積也熟熱也五藏
積熱六府受之陽熱相薄熱之所過則爲癰診病不審是謂失常謂失
常經術正用之道也謹守此治與經相明謂前氣內循衷俞會之理也一
上經下經揆度陰陽奇恒五中決以明堂審於
終始可以橫行所謂上經者言氣之通天也下經者言病之變化也言此二經
揆度陰陽之氣奇恒五中者皆決於明堂之部分也揆度者度病之深淺也奇恒者言奇病也
五中者謂五藏之氣也夫明堂者所以視万物別白黑審長短故曰決以明堂也審於終始
者謂審察五色囚王終而復始也夫道循如是應用不窮目牛无全萬舉萬當由斯高遠哉可
以橫行於世間矣

○徵四失論篇第七十八

新校正云按全元起本在第八卷名方論得失明著

黃帝在明堂雷公侍坐黃帝曰夫子所通書受事衆多矣試言得失之意所以得之所以失之雷公對曰循經受業皆言十全其時有過失者願聞其事解也言循學經師受傳事業皆謂十全於人庶及乎施用正術宣行至道或得失之於世中故請聞其解說也帝曰子年少智未及邪將言以雜合耶言謂年少智未及而不得十全耶爲復且以言而雜合衆人之用耶帝疑先知而反問也夫經脈十二絡脈三百六十五此皆人之所明知工之所循用也謂循學而用也所以不十全者精神不專志意不理外內相失故時疑殆

外謂色內謂脉也然精神不專於循用志意不發於條理所謂粗略揆度失常故色脉揣失並時自疑殆也診不知陰陽逆從之理此治之一失矣脉要精微論曰冬至四十五日陽氣微上陰氣微下夏至四十五日陰氣微上陽氣微下陰陽有時与脉爲期又曰微妙在脉不可不察察之有紀從陰陽始由此故診不知陰陽逆從之理爲一失矣受師不卒妄作離術繆言爲道更名自功新校正云按大素功作巧妄用砭石後遺身咎此治之二失也不終師術推妄是爲易古變常自功循已遺身之咎不亦宜乎故爲失二也老子曰无已遺身殃是謂襲常蓋嫌其妄也不適貧富貴賤之居坐之薄厚形之寒溫不適飲食之宜不別人之勇怯不知比類足以自亂不足以自明此治之三失也貧賤

者勞富貴者佚佚則邪不能傷易傷以勞勞則易傷以邪邪其於勞也則富者處貴者之半其於邪也則貧者居賤者之半例率如此然捭操之家或此殊矣夫勇者難感怯者易傷二者不同蓋以其神氣有壯弱也觀其貧賤富貴之義則坐之薄厚形之寒温飲食之宜理可知矣不知比類用必乖衰則適足以汩亂心緒皆通明之可望乎故爲失三也診病不問其始憂患飲食之失節起居之過度或傷於毒不先言此卒持寸口何病能中妄言作名爲粗所窮此治之四失也憂謂憂懼也患謂患難也飢食失節言其飽也起居過度言遺耗也或傷於毒謂病不可拘於藏府相乘之法而爲療也卒持寸口謂不先持寸口之脉和平与不平也然工巧循識四術猶疑故診不能中病之形名言不能合經而妄作粗略醫者尚能窮妄謬之違背況深明者見而不謂非乎故爲失四也是以世人之語

者馳千里之外不明尺寸之論診無人事言工之得
失毀訾在世人之言語皆可至千里之外然其不明尺寸之診論當以何事知見於人耶治
數之道從容之葆治主也葆平也言診數當主之氣皆以氣高下而爲比類
之原本也故下文曰葆音保坐持寸口診不中五脈百病所
起始以自怨遺師其咎自不能深學道術而致謬誤違始上申怨謗之
詞遺過咎於師氏者未之有也是故治不能循理棄術於市妄
治時愈愚心自得不能脩學至理乃衒賣於市廛人不信之謂乎虛譽故云
棄術於市也然愚者百慮而一得何自功之有耶○新校正云按全元起本作自巧大素作自
功嗚呼窈窈冥冥熟知其道今詳熟當作孰道之大者
擬於天地配於四海汝不知道之論受以明爲

乎嗚呼歎也窈窈冥冥言玄遠也至道玄法雖昭得知之孰誰也擬於天地言高下之不可量也配於四海言深廣之不可測也然不能曉諭於道則受明道而成昭晰也聰昭也

新刊黃帝內經素問卷第二十三

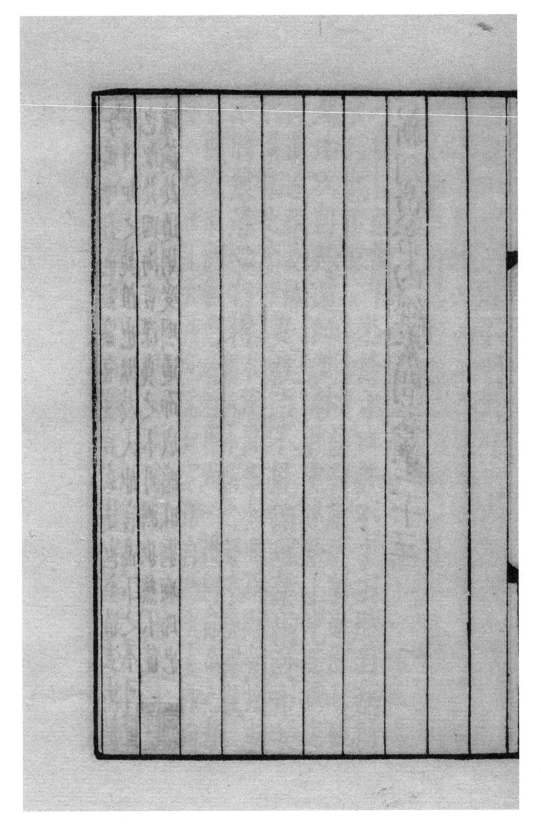

新刊黄帝内經素問卷二十四

啓玄子次註林億孫奇高保衡等奉敕校正孫兆重改誤

○陰陽類論篇第七十九 新校正云按全元起本在第八卷

孟春始至黄帝燕坐臨觀八極正八風之氣而問雷公曰陰陽之類經脉之道五中所主何藏最貴孟月春始至謂立春之日也燕安也觀八極謂視八方遠際之色正八風謂候八方所至之風朝會於太一者也五中謂五藏○新校正云詳八風朝太一具天元玉冊中又按楊上善云公夫天為陽地為陰人為和陰無其陽衰殺無已陽無其陰生長不止生長不止則傷於

陰陰盛則陰災起衰殺不已則傷於陽陽盛則陽禍生矣故須聖人在天地間和陰陽氣令万物生也和氣之道謂先脩身為德則陰陽氣和陰陽氣和則八節風調八節風調則八虛風止於是疵疢不起嘉祥皆集此亦不知所以然而然也故黃帝問身之經脈貴賤依之調攝修德於身以正八風之氣雷公對曰春甲乙青中主肝治七十二日是脈之主時臣以其藏最貴東方甲乙春氣主之自然青色內通肝也金匱真言論曰東方青色入通於肝故曰青中主肝也然五行之氣各主七十二日五七二五積而乘之則終一歲之數三百六十日故云治七十二日也夫四時之氣以春為始五藏之應肝藏合之公故以其藏為最貴其藏或為道非也帝曰却念上下經陰陽從容子所言貴最其下也從容謂安緩比類也帝念脈經上下篇陰陽比類形氣不以肝藏為貴故謂公之所貴最其下也雷公致齋

七日且復侍坐悟非致齋以洗心願益故坐而復請帝曰三陽爲經二陽爲維一陽爲游部經謂經綸所以濟成務維謂紲持所以繫天貞衛謂衛行部謂身形部分也故主氣者濟成務化谷者繫天貞主色者散布精識游行者諸部也○新校正云按楊上善云三陽足太陽脉也從目內眥上頭分爲四道下項并正別脉上下六道以行於背與身爲經二陽足陽明脉也從鼻而起下咽分爲四道并正別脉六道上下行腹綱維於身一陽足少陽脉也起目外眥絡頭分爲四道下缺盆并正別脉六道上下主經營百節流氣三部故曰游部此知五藏終始觀其經綸維繫游部之義則五藏之終始可謂知矣三陽爲表二陰爲裏三陽大陽二陰少陰也少陰与大陽爲表裏故曰三陽爲表二陰爲裏一陰至絕作朔晦卻具合以正其理一陰厥陰也厥猶尽也靈樞經曰亥爲左足之厥陰戌爲右足之厥陰兩

陰俱尽故曰厥陰夫陰尽為晦陰生為朔厥陰者以陰尽為義也徵其氣王則朔適言其氣尽則晦既見其朔又當其晦故曰一陰至絶作朔晦也然徵彼俱尽之陰合此發生之木以正應五行之理而无替循環故云鄉具合以正其理也○新校正云按注言陰尽為晦陰生為朔詳是陽生為朔

雷公曰受業未能明言未明氣脈之應見帝曰所謂三陽者太陽為經陽氣盛大故曰大陽三陽脈至手太陰而弦浮而不沈決以度察以心合之陰陽之論大陰為寸口也寸口者手太陰也脈氣之所行故脈皆至於寸口也太陽之脈洪大以長今弦浮不沈則當約以四時高下之度而斷決之察以五藏異同之候而參合以應陰陽之論知其藏否耳所謂二陽者陽明也靈樞經曰辰為左足之陽明巳為右足之陽明兩陽合明故曰二陽者陽明也至手太陰弦而沈急不鼓

見至以病皆死鼓謂鼓動見熱也陽明之脈浮大而短今弦而急沉不鼓者是陰氣勝陽不來乘土也然陰氣勝陽木來乘土而反熱病至者是陽氣之衰敗也猶燈之焰欲滅反明故皆死也一陽者少陽也陽氣未大故曰少陽至手大陰上連人迎弦急懸不絕此少陽之病也人迎謂結喉兩傍同身寸之一寸五分脈動應手者也弦為少陽之脈今急懸不絕是經氣不足故曰少陽之病也懸者謂如懸物動搖者也專陰則死專獨也言其獨有陰氣而無陽氣則死三陰者六經之所主也三陰者大陰也言所以諸脈皆至手大陰者何以是六經之主故也六經謂三陰三陽之經脈也所以至手大陰者何以肺朝百脈之氣皆交會於氣口也故下交曰交於大陰此正發明肺朝百脈之義也經脈別論云肺朝百脈伏鼓不浮上空志心脈伏鼓擊而不上浮者是心氣不足故上控引

於心而爲病也志心謂小心也刺禁論曰七節
之旁中有小心此之謂也○新校正云按楊上
善云肺脉浮濇此爲平也今見浮鼓是腎脉也
足少陰脉貫脊屬腎上入肺中從肺出絡心肺
氣下入腎志上入心神也 王 二陰至肺其氣歸
氐謂志心爲小心義未通
膀胱外連脾胃 二陰謂足少陰腎之脉少陰之
脉別行者入跟中以上至股內
後廉貫脊屬腎絡膀胱其直行者從腎上貫肝
鬲入肺中故上至於肺其氣歸於膀胱外連於
脾胃 一陰獨至經絕氣浮不鼓鉤而滑 若一陰獨
至肺經氣
內絕則氣浮不鼓於手若經不內絕則鉤而滑
新校正云按楊上善云一陰厥陰也
此六脉者乍陰乍陽交屬相并繆通五藏合於
陰陽 或陰見陽脉陽見陰脉故云乍陰乍陽也
所以然者以氣交會故尔當審此類以知
陰陽
也
先至爲主後至爲客 脉氣乍陰見陽乍陽
見陰何以別之當審

先至爲主後至爲客也至謂至寸口也雷公曰臣悉盡意受傳經

脉頌得從容之道以合從容不知陰陽不知雌

雄頌謂今誦也公言臣所頌誦今從容之妙道欲合上古從容而比類形名猶不知陰陽尊

卑之次不知雌雄殊目之義請言其旨以明著至教陰陽雌雄相輸應也帝曰三陽

爲父父所以督濟群小言高尊也二陽爲衛衛所以却禦諸邪言扶生也

一陽爲紀紀所以綱紀形氣言其平也三陰爲母母所以育養諸子言

滋生也二陰爲雌雌者陰之目也一陰爲獨使一陰之藏外合三焦三焦

主謁導諸氣名爲使者故云獨使也二陽一陰陽明主病不勝一

陰脉耎而動九竅皆沉一陰厥陰肝木氣也二陽陽明胃土氣也木土

相薄故陽明主病也木伐其土土不勝木故云不勝一陰脉耎而動者耎爲胃氣動謂木刑土

木相挠則胃氣不轉故九竅沉滯而不通利也三陽一陰太陽脉勝一陰不能止內亂五藏外為驚駭三陽是大陽之氣故曰大陽勝也木生火今盛陽燔木木復受之陽氣洪盛內為狂熱故內乱五藏也肝主驚駭故外形驚駭之狀也二陰二陽病在肺少陰脉沉勝肺傷脾外傷四支二陰謂手少陰心之脉也二陽亦胃脉也心胃合病邪上下并故內傷脾外勝肺也所以然者胃為脾府心火勝金故尔脾主四支故脾傷則外傷於四支矣少陰脉謂手掌後同身寸之五分當小指神門之脉也○新校正云詳此二陽乃手陽明大陽肺之府也少陰心火勝金之府故云病在肺王氏以二陽為胃義未甚通况又以見胃病腎之說此乃是心腎脉也又全元起本及甲乙經大素等並云二陰一陽二陰二陽皆交至病在腎罵詈妄行巔疾為狂二陰為腎水之[illegible]也一陽為胃[illegible]

府也土氣刑水故交至而病在腎也以腎水不勝故胃盛而頗為在二陰一陽病出於腎陰氣客遊於心脘下空竅堤閉塞不通四支別離一陽謂手少陽三焦心主火之府也水上干火故火病出於腎陰氣客游於心也何者腎之脈從腎上貫肝鬲入肺中其支別者從肺中出絡心注胷中故如是也然空竅陰客上游胃不能制胃不能制是土氣衰故脘下空竅皆不通也言堤者謂如堤堰不容泄滿胃脉循足心脉絡手故四支如別離而不用也○新校正云按王氏云胃脉循足按此二陰一陽病出於腎胃當作腎一陰一陽代絶此陰氣至心上下無常出入不知喉咽乾燥病在土脾一陰厥陰脉一陽少陽脉並木之氣也代絶者動而中止也以其代絶故為病也木氣生火故病生而陰氣至心也夫肝膽之氣上至頭首下至腰足中至腹脇故病發上下無常處也若受納不知其味竅寫不

知其度而喉咽乾燥者喉嚨之後又咽屬爲膽之使故病則咽喉乾燥雖病在脾土之中蓋由肝膽之所爲爾二陽三陰至陰皆在陰不過陽陽氣不能止陰陰陽並絶浮爲血瘕沉爲膿胕二陽陽明三陰手大陰至陰脾也故曰至陰皆在也然陰氣不能過越於陽陽氣不能制心令陰陽相薄故脈並絶斷而不相連續也脈浮爲陽氣薄陰故爲血瘕脈沉爲陰氣薄陽故爲膿聚而胕爛也陰陽皆壯下至陰陽若陰陽皆壯而相薄不已者漸下至陰陽之内爲大病矣陰陽者男子爲陽道女子爲陰器者以其盛受故也上合昭昭下合冥冥昭昭謂陽明之上冥冥謂至陰之内幽暗之所也診決死生之期遂合歲首謂下短期之首雷公曰請問短期黃帝不應欲其復問而齎之也雷公復問黃帝曰在經論中上古經之中也○新

校正云按全元起本自雷公已下別爲一篇名四時病類雷公曰請問短期黃帝曰冬三月之病病合於陽者至春正月脉有死徵皆歸出春病合於陽謂前陰合陽而爲病者雖正月脉有死徵陽已發生至王不死故出春三月而至夏初也冬三月之病在理已盡草與柳葉皆殺裏謂二陰腎之氣也然腎病而正月脉有死徵者以枯草盡青柳葉生出而皆死也理裏也已以也古用同春陰陽皆絕期在孟春立春之後而脉陰陽皆懸絕者期死不出正月〇新校正云太素无春字春三月之病曰陽殺陽病不謂傷寒溫熱之病謂非時病熱脉洪盛數也然春三月中陽氣尚少未當全盛而反病熱脉應夏氣者經云脉不再見夏脉當洪數无陽外應故必死於夏至也以死於夏至陽氣殺物之時故云陽殺陰陽皆絕期在草乾若不陽病但陰

陽之脉皆懸絶者死在於青萍草乾之時也夏三月之病至陰不過
十日謂投熱病也脾熱病則五藏危土成數十故不過十日也陰陽交期在
濂水評熱病論曰溫病而汗出輒復熱而脉躁疾不爲汗衰狂言不能食者病名曰陰陽
交六月病暑陰陽復交二氣相持故乃死於立秋之後○新校正云按全元起本云濂水者
七月也建申水生於申陰陽逆也楊上善云濂藏發坳水靜也七月水生時也秋三月
之病三陽俱起不治自已秋陽氣衰陰氣漸出陽不勝陰故自已也
陰陽交合者立不能坐坐不能起以氣不由其正用故尒
三陽獨至期在石水有陽无陰故云獨至也著至教論曰三陽獨至者是
三陽并至由此則但有陽而无陰也石水者謂冬月水冰如石之時故云石水也火墓於戌冬
陽氣微并石水而死也○新校正云詳石水之解本全元起之說王氏取之二陰獨

至期在盛水（亦謂井至而无陽也盛水謂雨雪皆解為水之時則正謂正月中氣也○新校正云按全元起本二陰作三陰）

○方盛衰論篇第八十（新校正云按全元起本在第八卷）

雷公請問氣之多少何者為逆何者為從黃帝荅曰陽從左陰從右（陽氣之多少皆從左陰氣之多少皆從右從者為順反者為逆陰陽應象大論曰左右者陰陽之道路也）老從上少從下（老者穀衰故從上為順少者欲甚故從下為順）是以春夏歸陽為生歸秋冬為死（歸秋冬謂反歸陰也歸陰必順殺伐之氣故也）反之則歸秋冬為生（反之〻謂秋冬〻秋冬〻則歸陰為生也）是以氣多少逆皆為厥（陽氣之多少反從右陰氣之多少反從左是為不順故曰氣少多逆也如是從左從右之不順者皆為厥

〻謂氣逆故曰皆為厥也問曰有餘者厥耶言少之不顯者為逆有餘者則成厥逆之病乎答曰一上不下寒厥到膝少者秋冬死老者秋冬生一經之氣厥逆上而陽氣不下若何以別之寒厥到膝是也四支者諸陽之本當溫而反寒上故曰寒厥也秋冬謂歸陰陰歸陰則從右發生其病也少者以陽氣用事故秋冬死老者以陰氣用事故秋冬生○新校正云按楊上善云虛者厥也陽氣一上於頭不下於足足脛虛故寒厥至膝氣上不下頭痛巔疾巔謂身之上巔疾則頭首之疾也求陽不得求陰不審五部隔無徵若居曠野若伏空室綿綿乎屬不滿日謂之陽乃脈似陰盛謂之陰乃脈從陽盛故曰求陽不得求陰不審也五部謂五藏之部隔謂隔遠无徵无徵猶无可信驗也然求陽不得其熱求陰不審見寒五藏部隔又隔遠无可信驗故曰求陽不得求陰不審

五部脈無徵也夫如是者皆從氣之逆所作其由陰陽寒熱之氣所為也若居曠野言心神散越若伏空室謂志意沉潛散越以氣逆而痛甚未止沉潛以痛定而復恐再來也綿綿乎謂動息微也身雖綿綿乎且存然其心所屬望將不得終其盡日也故曰綿綿乎屬不滿日也○新校正云按大素云若伏空室為陰陽之一有此五字疑此脫漏是以少陰之厥令人妄夢其極至迷氣之少有厥逆則令人妄為夢寐其厥之盛極則令人夢至迷亂三陽絕三陰微是為少氣三陽之脈懸絕三陰之診細微是為少氣之候也○新校正云按大素云三陽絕氣是為少氣是以肺氣虛則使人夢見白物見人斬血藉藉白物是象金之色也斬者金之用也藉藉夢死狀也得其時則夢見兵戰得時謂秋三月也金為兵革故夢見兵戰腎氣虛則使人夢見舟船溺人舟船溺人皆水之用腎象

水藏夢形之得其時則夢伏水中若有畏恐冬三月也肝氣虛則夢見菌香生草菌香草生草木之類也肝合草木故夢見之○新校正云按全元起本云菌香是桂圖按論功得其時則夢伏樹下不敢起春三月也心氣虛則夢救火陽物心合火故夢之陽物亦火之類得其時則夢燔灼夏三月也脾氣虛則夢飲食不足脾納水穀故夢飲食不足得其時則夢築垣蓋屋得其時謂辰戌丑未之月末各十八日築垣蓋屋皆土之用此皆五藏氣虛陽氣有餘陰氣不足府者陽氣藏者陰氣合之五診調之陰陽以在經脈靈樞經已備有調陰陽合五診故引之曰以在經脈經脈則靈樞經之篇目也診有十度度人脈度藏度肉度筋度俞度度各有其

三故二五焉十以量度陰陽氣盡人病自具診備盡陰陽虛盛之理則人病自具知之脉動無常散陰頗陽脉脱不具診無常行診必上下度民君卿脉動无常數者是陰散而陽頗調理也若脉診脫畧而不具備者无以常行之診而察候之則當度量民及君卿三者調養之殊異尔何者憂樂苦分不周秋故也受師不卒使術不明不察逆從是為妄行持雌失雄棄陰附陽不知并合診故不明旹謂齊不診備傳之後世反論自章章露也以不明而授与人反古之道自然章露也至陰虛天氣絕至陽盛地氣不足至陰虛天氣絕而不降至陽盛地氣微而不升是所謂不交通也至謂至盛也陰陽並交至人之所行交謂交通也推聖人乃能調理使行也陰陽並交者陽

氣先至陰氣後至陰陽之氣並行而交通於一處者則當陽氣先至陰氣後至其向者陽速而陰遲也靈樞經曰所謂交通者並行一數也由此則二氣亦交會於一處也是以聖人持診之道先後陰陽而持之奇恒之勢乃六十首診合微之事追陰陽之變章五中之情其中之論取虛實之要定五度之事知此乃足以診奇恒勢六十首今世不傳是以切陰不得陽診消亡得陽不得陰守學不湛知左不知右知右不知左知上不知下知先不知後故治不久知醜知善知病知不病知高知下知坐知起知行知止用之有診診道乃具萬世不殆聖人持診之明誠也起

所有餘知所不足寶命全形論曰內外相得无以形先言具已身之有餘則
當知病人之不足也度事上下脉事因格度事上下之宜脉事因而至於
微妙矣格至也是以形弱氣虛死中外俱不足也形氣有餘脉
氣不足死藏衰故脉不足也脉氣有餘形氣不足生藏盛
故脉氣有餘是以診有大方坐起有常坐起有常則息力調適故
診之方法必先用之出入有行以轉神明言所以貴坐起有常者何以出
入行運皆神明隨轉也必清必靜上觀下觀司八正邪別
五中部按脉動靜上觀謂氣色下觀謂形氣也八正謂八節之正候五中謂
五藏之部分然後按寸尺之動靜而定死生矣循尺滑濇寒溫之意視
其大小合之病能逆從以得復知病名診可十

全不失人情故診之或視息視意故不失條理數息之長短候脈之至數故診之法或視喘息也知息合脈病處必知聖人察候條理斯皆合也道甚明察故能長久不知此道失經絕理亡言妄期此謂失道謂失精微至妙之道也

○解精微論篇第八十一

新校正云按全元起本在第八卷名方論解

黃帝在明堂雷公請曰臣授業傳之行教以經論從容形法陰陽刺灸湯藥所滋行治有賢不肖未必能十全言所自授用可十全然傳所教習未能必爾也賢謂心明智達不肖謂擁是不法若先言悲哀喜怒燥溼寒暑陰陽婦

女請問其所以然者卑賤富貴人之形體所從羣下通使臨事以適道術謹聞命矣皆以先聞聖言尤未究其意端請問有毚愚仆漏之問不在經者欲聞其狀言不智狡見頗問多也漏脫漏也謂經有所未解者也毚狡也愚不智見也仆尤頓也尤不斷也○新校正云按全元起本仆作朴帝曰大矣人之所大要也公請問哭泣而淚不出者若出而少涕其故何也言何藏之不爲而致是乎帝曰在經有也靈樞經有悲哀涕泣之義復問不知水所從生涕所從出也復問重問也欲知水涕所生之由也帝曰若問此者無益於治也工之所知道之所生也言涕水者皆道氣之所生問之何也夫心者五藏之專精也專任也言

寤寐之精氣任心之所使以爲神明之府是故能焉目者其竅也神內守明外鑒故曰其竅也華色者其榮也華色其神明之外飾是以人有德也則氣和於目有亡憂知於色德者道之用人之生也老子曰道生之德畜之氣者生之主神之舍也天布德地化氣故人因之以生也氣和則神安神安則外鑒明矣氣不和則神不守神不守則外榮減矣故曰人有德也氣和於目有亡也憂知於色也○新校正云按太素德作得是以悲哀則泣下泣下水所由生水宗者積水也新校正云按甲乙經水宗作衆精積水者至陰也至陰者腎之精也宗精之水所以不出者是精持之也輔之裹之故水不行也夫水之精爲志火之精爲神水火相感神志俱悲是以目

之水生也目爲上液之道故水火相感神志俱悲水液上行乃生於目故諺言曰心悲名曰志悲志與心精共湊於目也水火相感故曰心悲名曰志悲神志俱昇故志与心神共奔湊於目還辭勾切是以俱悲則神氣傳於心精上不傳於志而志獨悲故泣出也泣涕者腦也腦者陰也五藏別論以腦爲地氣所生皆藏於陰而象於地故言腦者陰陽上爍也爍則銷也○新校正云按全元起本及甲乙經太素陰作陽髓者骨之充也充滿也言髓填於骨充而滿也故腦滲爲涕鼻竅通腦故腦滲爲涕流於鼻中矣志者骨之主也是以水流而涕從之者其行類也類謂同類夫涕之與泣者譬如人之兄弟急則俱死生則俱生同源故生死俱○新校正云按

大素生則俱生作出則俱亡其志以早慈是以涕泣俱出而横行也行恐當爲流夫人涕泣俱出而相從者所屬之類也所屬謂於腦也何者上文云涕泣者腦也雷公曰大矣請問人哭泣而淚不出者若出而少涕不從之何也推其所屬同而行出異也帝曰夫泣不出者哭不悲也不泣者神不慈也神不慈則志不悲陰陽相持泣安能獨來泣不出者謂淚也不泣者謂哭也水之精爲志火之精爲神水爲陰火爲陽故曰陰陽相持泣安能獨來也夫志悲者惋惋則冲陰冲陰則志去目志去則神不守精精神去目涕泣出也惋謂內爍也冲衝也衝出也神志相感泣由是生故內爍則陽氣升於陰也陰腦也去目謂陰不守

目也志去於目故神亦浮游失志去目則光无內照神失守則精不外明故曰精神去目涕泣出也且子獨不誦不念夫經言乎厥則目無所見夫人厥則陽氣并於上陰氣并於下并謂各并於本位也陽并於上則火獨光也陰并於下則足寒足寒則脹也夫一水不勝五火故目眥盲眥視也一水目也五火謂五藏之厥陽也○新校正云按甲乙經无眥字是以氣衝風泣下而不止夫風之中目也陽氣內守於精是火氣燔目故見風則泣下也風迫陽伏不發故內燔也有以比之夫火疾風生乃能雨此之類也故陽并則火獨光盛於上不明於下是故目者陽之所生系於藏故陰陽和則精明也陽厥則塋不上陰厥則足冷而脹也言一水

不勝五火者是手足之陽若五火下一陰者肝之氣也衝風泣下而不止者言風之中於目也是陽氣內守於精故陽氣盛而火氣燔於目風与熱交故泣下是故火疾而風生乃能雨以陽火之熱而風生於泣以比譬之類也○新校正云按甲乙經无火字大素云天之疾風乃能雨无生字

新刊黃帝內經素問卷二十四

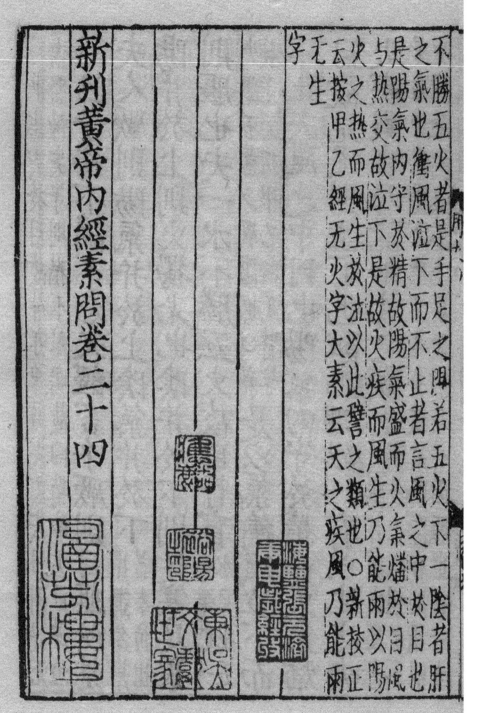

新刊黃帝內經素問亡篇

刺法論　本病論

○刺法論第七十二

黃帝問曰升降不前氣交有變即成暴鬱余已知之如何須救生靈可得却乎

却之言去也何以去之

岐伯稽首再拜對曰昭乎哉問臣聞夫子言既明天元須窮法刺可以折鬱扶運補弱全真瀉盛蠲餘令除斯苦

夫子者祖師僦貸季折謂折伏也扶謂扶持

也蠲除也斯此也令除此苦也
帝曰願卒聞之岐伯曰升之不前即有甚凶也
木欲升而天柱窒抑之木欲發鬱亦須待時
木發待間氣也至天作間氣之時作也欲發
可刺之也
當刺足厥陰之井
足厥陰之井即大敦穴在足大指端去爪甲
上如韭葉三毛之中乃足厥陰之所出也於
平旦水下一刻時以手按穴得動脉下鍼可
及三分留六呼如得氣急出之先刺左後刺

右又可春分日吐之無此管也
火欲升而天蓬窒抑之火欲發鬱亦須待時
火鬱待時至天作左間氣之時也其發也君
火春分相火小滿即欲發之時也故君火相
火同法即是二時而可預刺之也
君火相火同刺包絡之滎
心包絡之滎在手掌中營宮穴也水下二刻
以手按穴動㾓應手刺可同身寸之三分留
六呼得氣而急出之先左後右又法當春三
泄汗也

土欲升而天衝窒抑之土欲發鬱亦湏待時
土鬱待時至天作左間　之時也土發鬱日
維辰維也多於二間維發之也可預刺之也
當刺足太陰之俞
足太陰之俞太白穴在足内側核骨下陷者
中足太陰之所注也水下三刻刺可同身寸
之二分留七呼氣至急出之先左後右
金欲升而天英窒抑之金欲發鬱亦須待時
金鬱待時至天作左間　之日也夏至之後
金欲發鬱之時在火王後作可預刺也

當刺手太陰之經

手太陰之經者經渠穴也在兩手寸口脉陷者中手太陰之所行也動脉應手於水下四刻刺可同身寸之三分留三呼氣至急出鍼先左後右

水欲升而天內窒抑之水欲發鬱亦須待時

水鬱待時至天作左間之時也發於辰維之後火得王之時水可作也可以預用鍼刺之也

當刺足少陰之合

足少陰之合陰谷穴也在膝内輔骨之後大
筋之下小筋之上按之應手屈膝而得足少
陰之所入也刺可同身寸之四分留三呼動
氣應手可刺急出之先刺左後刺右
帝曰升之不前可以預備願聞其降可以先防
防護者也
岐伯曰既明其升必達其降也升降之道皆可
先治也
亦可以升而先刺也
木欲降而地晶窒抑之降而不入抑之鬱發散

而可得位
三日不降八日降欲降而鬱先散而然後作
地閒氣者也
降而鬱發暴如天閒之待時也降而不下鬱可
速降
降之不下急速如天鬱也便可刺之
降可折其所勝也
折勝其標而虛其本也故折其勝也
當刺手太陰之所出刺手陽明之所入
手太陰之所出少商穴也在手大指之端內

側去瓜甲如韭葉手太陰之井也刺可同身寸之一分留　呼而急出之手陽明之所入曲池穴也在肘外輔屈肘兩骨之間陷中手陽明之合刺可同身寸之一寸五分留七呼動氣應手至而急出之

火欲降而地玄窒抑之降而不入抑之鬱發散而可矣

二日不降七日降欲下而鬱散之速可刺之也當折其所勝可散其鬱

火鬱折水可以除之

當刺足少陰之所出刺足太陽之所入

足少陰之出湧泉穴也在足心陷者中屈足捲指宛宛中足少陰之井刺可同身寸之三寸留三呼動氣至急出之先左後右足太陽之所入委中穴在膕中央約文中動脈應手足太陽之合也刺可同身寸之五分留七呼氣至而急出之先左後右二次同其法刺也

土欲降而地蒼窒抑之降而不下抑之鬱發散而可入

五日不降十日降欲降而鬱散而可速刺之

當折其勝可散其鬱

土鬱折水可除其苦

當刺足厥陰之所出刺足少陽之所入足厥陰之所出太敦穴也在足大指端去爪甲上如韭葉及三毛之中足厥陰井也刺可同身寸之三分留十呼動氣急出之足少陽之所入陽陵泉穴在膝下同身寸之一寸斷骨外廉陷者中是足少陽之合刺可同身寸之六分留十呼動氣至急出之

金欲降而地彤窒抑之降而不下散抑之鬱發

散而可入
四日不降九日降欲下而鬱散可速刺也
當折其勝可散其鬱
金鬱折火可以除之
當刺心包胳所出刺手少陽所入也
心包胳所出中衝穴也在中指之端去爪甲
如韭葉是手心主之井刺可同身寸之一分
留二呼動氣至急出之手少陽之所入天井
穴也在肘外大骨之後肘後同身寸之一寸
兩筋閒陷者中屈肘得之手少陽合刺可同

身寸之一寸留十呼動氣應手至而急出之
水欲降而地阜窒抑之降而不下抑之鬱發散
而可入
一日不降六日降欲下而鬱散先可刺之也
當折其土可散其鬱
折其所勝可以散之也
當刺足太陰之所出刺足陽明之所入
足太陰之所出隱白穴也在足大趾之端側
去爪甲如韭葉足太陰之井刺可同身寸之
一分留三呼得氣至乃出之足陽明之所入

三里穴在膝下三寸䯒骨外廉兩筋間足陽明之所合刺可同身寸之五分留十呼得氣至而急出之

帝曰五運之至有前後與升降往來有所承抑之可得聞乎刺法岐伯曰當取其化源也是故大過取之不及資之大過取之次抑其鬱取其運之化源令折鬱氣不及扶資以扶運氣以避虛邪也

不及者當資其化源以補其所虧令不勝資取之法令出密語

資取化源法方明於玄珠密語第一卷中

黃帝問曰升降之刺以知要願聞司天未得迁正使司化之失其常政即萬化之 其皆妄然與民爲病可得先除欲濟羣生願聞其說明其遷正故可預防

岐伯稽首再拜曰悉乎哉問言其至理聖念慈憫欲濟羣生臣乃盡陳斯道可申洞微

申顯也洞深也微妙也言可盡顯深妙

太陽復布即厥陰不遷正

即天運不和順四序失合而作疫也

不遷正氣塞於上當寫足厥陰之所流
氣舒而復塞之故寫之當寫足厥陰之所流
行間穴也在足大趾之間動脉應手陷者中
足厥陰之榮刺可同身寸之六分留七呼動
氣至而急出之
厥陰復布少陰不遷正
天失時令即氣令不正也
不遷正即氣塞於上
熱欲化而風乃布外也
當刺心包絡脉之所流

心包胳脉之所流勞宫穴也在掌中央刺可
同身寸之三分留六呼動氣至而急出之
少陰復布大陰不遷正
子午天數有餘丑未不得中正也
不遷正即氣留於上
雨欲化而熱布於天
當刺足大陰之所流
足大陰之所流大都穴也在足大趾本節後
陷者中足大陰脉之滎也刺可同身寸之三
分留七呼動氣至而出之

太陰復布少陽不遷正
丑未天數有餘寅申未得中正
不遷正則氣塞未通
熱欲化而雨復布天
當刺手少陽之所流
手少陽之所流液門穴也在手小指次指間
陷者中手少陽之滎也刺可同身寸之二分
留三呼動氣至而急出也
少陽復布則陽明不遷正
寅申天數有餘卯酉未得司天

不遷正則氣未通上
燥欲治天熱化復治
當刺手太陰之所流
手太陰之所流魚際穴也在手大指本節後
内側散脉文中手太陰之滎也刺可同身寸
之二分留三呼動氣至而急出之
陽明復布太陽不遷正
卯酉天數未終辰戊未得司正
不遷正則復塞其氣
寒欲行天而燥復化

當刺足少陰之所流
足少陰之所流然谷穴也在足内踝前起大
骨下陷中足少陰之榮也刺可同身寸之三
分留三呼動氣至而出之
帝曰遷正不前以通其要願聞不退欲折其餘
無令過失可得明乎岐伯曰氣過有餘復作布
正是名不過位也
即名布正再治天而不能退位
使地氣不得後化新司天未可遷正故復布化
令如故也

新歲司天未得中司去歲司天仍舊治天是故氣過天令失常故與民作災之病也

巳亥之歲天數有餘故厥陰不退位也

至子午之年猶尚治天

風行之上木化布天

雨濕之化不令風化至酷作災

當刺足厥陰之所入

足厥陰之所入曲泉穴也在膝內輔骨下大筋上小筋下後陷者中屈膝而得之足厥陰之合也刺可同身寸之六分留七呼動氣至

急出其鍼也
子午之歲天數有餘故少陰不退位也
至丑未之年猶尚治天
熱行於上火餘化布天
燥清之氣雨化不令熱化復行天令也
當刺　手厥陰之所入
心包之所入曲澤穴也在肘内廉下陷者中
屈肘而取之手厥陰之合也刺可同身寸之
三分留七呼動氣至而急出之也
丑未之歲天數有餘故大陰不退位也

至寅申之年猶尚治天也
濕行於上雨化布天
寒化麕熱化不令濕化復布行天令
當刺足大陰之所入
足大陰之所入大陰陵泉穴也在内側輔骨
下陷者中足大陰之合刺可同身寸之五分
留七呼動氣至而急出之也
寅申之歲天數有餘故少陽不退位也
至卯酉之年猶尚治天
熱行於上火化布天

燥清令虧熱化復治布行天令

當刺手少陽之所入

手少陽之所入天井穴也在肘外大骨後肘後上一寸兩筋間陷中屈用得之手少陽之合也刺可同身寸之三分動氣至而急出之也

卯酉之歲天數有餘故陽明不退位也至辰戌年猶尚治天也

行於上燥化布天

風化虧而寒化不令清化復治布行天令

當刺手太陰之所入

手大陰之所入尺澤穴也在肘約文中動脈應手手大陰之所合也刺可同身寸之三寸留三呼動氣至而急出之

辰戌之歲天數有餘故大陽不退位也至巳亥之年猶尚治天也

寒行於上凜水化布天熱化令虛風化不令寒化復治布行天令

當刺足少陰之所入足少陰之所入陰谷穴也在膝下内輔骨之後大筋之下小筋之上按之應手屈膝而得

之足少陰之合刺可同身寸之四分動氣至而急出之

故天地氣逆化成民病以法刺之預可平痾

人氣通乎天地也氣交有變前後餘退可依天元刺其餘源始終可平也

黄帝問曰剛柔二干失守其位使天運之氣皆虚乎與民爲病可得平乎

天運如虚可以法刺可除之也

歧伯曰深乎哉問明其奥旨天地迭移三年化疫是謂根之可見必有逃門

是謂根究天地之災必有避危逃生之門戶
假令甲子剛柔失守
柔得其位上失其剛雖得交司數可未至
甲子上未終司己卯下雖遷正是謂柔干
孤虚其下也剛未正之己不得其甲即土
運反虚而木廼勝
剛未正柔孤而有虧
甲不正於己也土運不令正失少陰不化
是故天與皆虚而使邪化疫者也
時序不令即音律非從

司天猶布而中運有勝至矣甲未臨而已乙
至律無音而呂有聲即黃鍾大宮不應夾鍾
少宮即應以表己卯下位孤主土運者也
如此三年變大疫也
甚則速首尾三年至
詳其微甚察其淺深
大虛而布政日久即深也深即甚矣運未正
即勝至久即深甚也甚即深首尾二年至者也
欲至而可刺刺之
則以明其刺法者即是布正而未遷正者可

刺其即令之病也○言知者是以三年中有大疫至刺補其夭之之吉也即可細詳微甚知其所至之斯可先齊之者也

當先補腎俞

土疫至而腎虛者先補之腎俞在骨第十四椎下兩傍各同身寸之一寸五分未刺時先口噙針煖而用之用圓利針臨刺時呪曰五帝上真六甲玄靈氣符至陰百邪閉理念三遍自口中取針先刺二分留六呼次入針至三分動氣至而徐徐出針以手捫之令受針

人咽氣三次又可定神魂者也

次三日可刺足太陰之所注

足太陰之所注太白穴也在内踝核骨下陷

者中足太陰脉之所注也先以口啣針令温

欲下針時呪曰帝扶天形護命成靈誦之三

遍廼刺三分留七呼動氣至而急出其針也

又有下位己卯不至而甲子孤立者次三年作

土癘其法補瀉一如甲子同法也

即甲子甲戌甲申甲午甲辰甲寅并及己丑

己亥己酉己未己巳己卯九甲己上下失守

皆此一法而已
其刺以畢又不須夜行及遠行令七日潔清淨
齋戒所有自來腎有久病者可以寅時面向南
淨神不亂思閉氣不息七遍以引頸嚥氣順之
如嚥甚硬物如此七遍後餌舌下津令無數
仙家嚥氣可以深根固蔕以子受母氣也嚥
下氣令腹中鳴至臍下子氣見母元氣故曰
反本還元也久餌之令深根以養固蔕也故
嚥氣津者此名天池之水可久餌之資精氣
血滿潤五藏先既元海一名離宮之水一名

玉池一名神水不可唾之但可餌之以補精血可益元海也

假令丙寅剛柔失守

柔得其位上失其剛也雖得其交歲而丙未遷正治天下辛巳獨治其泉上位丙失其剛干故中水運不得運大過也反受土勝之

上剛干失守下柔不可獨主之

柔干在上猶言不及何况柔失剛者也

中水運非大過不可執法而定之

不以諸丙年作其水大過也當推之天數而

知有虧也

布天有餘而失守上正

天雖主治之此即布正之化正司主歲未得正位也

天地不合即律呂音異

柔干至而呂有音應剛干未遷而律管無聲即少羽鳴響而大羽無聲也

如此即天運失序

雖有化而非常化也

後三年變疫

變有微甚故有遲速當推其天數之淺深也
詳其微甚差有大小
大差七分小差五分每一分一十五日大差
速至小差徐徐而至之也
徐至即後三年至甚即首尾三年
推數差速即知運遲
當先補心俞
心俞在背第五椎下兩傍各一寸半用圓利
針於日中令溫暖次以手按穴得其氣動廼
呪曰太始上清丹元守靈誦之三遍先想火

光於穴下然後刺可同身寸之一寸半留七呼得氣至次進針三分以手彈之令氣至而下針得動氣至而徐徐出針次以手捫其穴令受針人閉氣三息而嚥氣也

次五日可刺腎之所入

腎之所入陰谷穴也在膝内輔骨之後大筋之下小筋之上按之應手屈膝而得之用圓利針令口中温暖先以手按穴嘿呪曰大微帝君五氣及眞六辛都司符扶黒雲誦之一遍刺可入同身寸之四分得動氣至而急出之

又有下位地甲子辛巳柔不附剛亦名失守臨
地運皆虛後三年變水癘即刺法皆如此矣
即丙寅丙子丙戌丙申丙午丙辰辛丑辛亥
辛酉辛未辛巳辛卯如此上下失守皆推大
小差而刺之
其刺如畢慎其大喜欲情於中如不忌即其氣
復散也令靜七日
七日後神氣實而水疫不傷
心欲實令少思
思即傷神居當澄心而神守中即道自降而

眞氣復上人亂想勞神即陰中鬼王勞神即
神役苦志心亂故夭人命實即神和志安心
靜即中也
假令庚辰剛柔失守
乙得其位上失其庚即謂柔失其剛也雖得
其歲即庚未得中位也乙得下位以治其地
上位庚失其剛干故中金運不得太過反受
火勝之也
上位失守下位無合
乙未在下主地孤立也上無剛干正之天運虛

乙庚金運故非相招
上下相招陰陽相合也司天與運各得其化
布天未退中運勝來
不以陽年元勝復支干不合有
上下相錯謂之失守
庚不與乙相對合也
姑洗林鍾商音不應也
失守即同声不相應也姑洗上管庚辰太商
不如應林鍾下管乙未少商独應矣
如此即天運化易

故四序非常也
三年變大疫
金疫又名殺疫
詳其天數差有微甚
大差七分即氣過一百五日即甚矣小差五
分即氣過七十五日即微也
微即微三年至
微即徐也
甚即甚三年至
甚即速也

當先補肝俞

肝俞在背第九椎下兩傍各一寸半用圓利針以口溫暖先以手按穴得動氣欲下針而呪曰氣從始清帝符六丁左施蒼城右入黃庭誦之三遍先想青氣於穴下然後刺之三分得氣而進針二入五分動氣至而徐徐出針以手捫其穴令受針人嚥氣

次三日可刺肺之所行

肺之所行經渠穴也在手寸口陷中手太陰經也用圓利針於口內溫令暖先以左手按

咒而呪曰太始上真五符帝君元和氣合司
入其神誦之三遍刺可同身寸之三分留三
呼動氣至而出其針也
刺畢可靜神七日慎勿大怒〻必真氣却散之
又或在下地甲子乙未失守者即乙柔干即上
庚獨治之亦名失守者即　孤主之三年變
癘名曰金癘
亦名殺癘
其至待時也詳其地數之等差亦推其微甚可
知遲速尒

速至共三年遲即後三年其至如金疫刺法
同前也
諸位乙庚失守刺法同
即天運各異金殺丁之災化民病也同刺而
却之也
肝欲平即勿怒
怒即陰生肝爲陽神也陰生即陽夭夜卧念
安其志勿誦惡語即陽神䰟守中
假令壬午剛柔失守
下不得其位上失其主即司天布正木運反虚

也雖交歲而天未遷正中運勝即地見丁酉
獨主其運故行燥勝天未執化是名二虚者巳
丑壬未遷正下丁獨然即雖陽年虧及不同
從亦然三日肝自病風化不令運失其壬未
得其位天如布退可得遷正不假復而正角
上下失守相招其有期
推之天別又及幾分天如復位故得相招者也
差之微甚各有其數也
差七分計一百五日即大差之期也差五分
即七十五日其下者又微也

律呂二角失而不和同音有日
上律蕤賓下呂南呂上大角不應下少角應
故二角失而不和也後壬午遷正之日即上
下角同聲相應
微甚如見三年大疫
微即至乙酉甚即至甲申甚速微徐也
當刺脾之俞
脾之俞在背第十一椎下兩傍各一寸半動
脉應手用圓利針令口中温暖而刺之即呪
曰五神智精六甲玄靈帝符元首大始受眞

誦之三遍先想黃氣於穴下然後刺之二分
得氣至而次進之又得動氣次進之二進各
一分留五呼即徐徐出針以手捫之令其人
不息三遍而三嚥津也
次三日可刺肝之所出也
肝之所出大敦穴也在足大趾端去爪甲如
韭葉及三毛之中足厥陰之井也用圓利針
令口中溫暖而刺之即呪曰　至玄大道
冥然五神各位氣　三田誦之然後可刺入
同身寸之三分留十呼動氣至而出其針

刺畢靜神七日勿大醉歌樂其氣復散又勿飽
食勿食生物
歌樂者即脾神動而氣散也醉即性亂飽即
食脹故慎忌之食生物即傷脾氣也
欲令脾實氣無滯飽無久坐食無大酸無食一
切生物宜甘宜淡
淡入胃也宜益府淡者土之薄味也而又次
於甘者無閑坐無久卧故養脾也
又或地下甲子丁酉失守其位未得中司即氣
不當位下不與壬奉合者亦名失守非名合德

故柔不附剛
天地二甲子上下不相招故陰陽有錯即中
運失其歲合之常政也
即地運不合三年變癘
故名木癘又名風癘其至有即亦推其微甚
其刺法一如木疫之法
即諸丁壬上下失守皆同一法刺之
假令戊申剛柔失守
戊與癸合也天地二甲子即戊申合癸亥也
下位癸亥至地其主地正司也上下位戊申

過丁未天數未退而復布天故失守戊癸不
合也
戊癸雖火運陽年不太過也
戊未正司癸下獨治故非太過反受水勝之也
上失其剛柔　獨主其氣不正故有邪干
水運失守於上中下運有虧也故天虛而地
猶主之中見火運水來犯之故曰邪干
迭移其位差有淺深
天數過差亦有多少欲得奉合合要在日數也
欲至將合音律先同

中火運徵也上下二律吕上窮太少二徵合
音同
如此天運失時三年之中火疫至矣
速至庚戊也徐徐至辛亥所作也
當刺肺之俞
肺俞在背第三椎下兩傍各一寸半動脉應
手用圓利鍼令口中温暖先以手按穴廼刺
之呪曰眞邪用搏氣灌元神帝符反本位合
其親誦之三徧刺入二分候氣氣欲至想白氣
於穴中次進一分得氣至而徐徐出其鍼以

手捫之於其穴也，然可立愈也

刺畢，靜神七日，勿大悲傷也。悲傷即肺動，而真氣復散也

凡喜怒悲樂恐，皆不可過矣。此五者皆可動天亂真神也。故聖人忘緣滅動念，可存神也。故神能主形，神在形全，可以身安道，常長存也。人欲實肺者，要在息氣也

無大喘息，慎勿多言語，及呼吸多氣喘及言語多乃飲冷，形寒食減，多大忌悲傷喜怒，令傷其肺神也

又或地下甲子癸亥失守者即柔失守位也即
上失其剛也即亦名戊癸不相合德者也即運
與地虛後三年變癘即名火癘
與火疫同也即法刺一体即諸戊諸癸上下
同一體

是故立地五年以明失守以濕法刺於是疫之
與癘即是上下剛柔之名也窮歸一体也即刺
疫法只有五法即總其諸位失守故只歸五行
而統之也

此皆五疫癘歸天地不相和之氣化為疫癘

大傷人之命也故達天元可通法刺復濟生
民也
黄帝曰余聞五疫之至皆相染易無問大小病
狀相似欲施救療如何可得不相移易者
其病相染着如何得不相染也
岐伯曰不相染者正氣存内邪不可干避其毒
氣天牝從來復得其往
邪毒之氣在於泄汗反下取之真氣入於中
毒氣至於腦中流入諸經之中令人染病矣如
人嚔得此氣入鼻至腦中欲嚔出令勿投鼻

中令噓之即出爾如此即不相染也
氣出於腦即不邪干
從鼻而入腦欲干復出即無相染也
氣出於腦即室先想心如日
即正氣存中而神守其本即邪疫之氣不犯之
欲將入於疫室先想青氣自肝而出左行於東
化作林木
如春栢之蒼翠
次想白氣自肺而出右行於西化作戈甲
如劒戟之明白利刃

次想赤氣自心而出南行於上化作焰明

如赫赫之炎爍

次想黑氣自腎而出北行於下化作水

如波浪而黑色

次想黄氣自脾而出存於中央化作土

如大地之黄色

五氣護身之畢以想頭上如北斗之煌煌然後

可入於疫室

即正氣存中而邪疫不干

又一法於春分之日日未出而吐之

用遠志去心以水煎之飲三盞吐之不瘥者也
又一法於雨水日後三浴以藥泄汗
注汗出臭者無疫也
又一法小金丹方辰砂二兩水磨雄黃一兩葉
子雌黃一兩紫金半兩
粉作末令細之
同入合中外固了地一尺築地實不用炉不須
藥制用火二十斤煅之也七日終
常令火及二十斤
候冷七日取次日出合子埋藥地中七日

亦須吉地者佳也

取出順日研之三日煉白沙蜜爲丸如梧桐子大每日望東吸日華氣一口冰水下一丸和氣嚥之服十粒無疫干也黄帝問曰人虚即神遊失守位使鬼神外干是致夭亡何以全眞願聞刺法岐伯稽首再拜曰昭乎哉問謂神移失守雖在其體然不致死或有邪干故令夭壽

邪未干而不病邪欲干而有卒亡也

只如厥陰失守天以虚人氣肝虚感天重虚即魂遊於上

肝虚天虚又遇出汗於肝而三虚散神遊上
位左无英君下即神光不聚而白尸鬼至令
人卒亡者也
邪干厥大氣身温猶可刺之
目中神彩有四肢雖冷心腹尚温如口中无
涎舌不卵縮者非感厥也即名尸厥故可救
之復蘇
刺其足少陽之所過
足少陽之所過丘墟穴也在足外踝下如前
陷者中去臨泣同身寸之五寸足少陽之原

也用毫針於人近體煖針至溫以左手按穴呪曰大上元君常居其左制之三魂誦之三遍次呼三魂名爽靈胎光幽精誦之三遍次想青龍於穴下刺之可以同身寸之三分留三呼可徐徐出針親令人按氣於口中腹中鳴者可治之

次刺肝之俞

在背第九椎下兩傍各一寸半用毫針着身溫之左手按穴呪曰太微帝君元英制魂真一元及本令入青雲又呼三魂名如前三遍刺

入同身寸之三分留三呼次進二分留三呼
復收鍼至三分留一呼徐徐出即氣及而復活
人病心虛又遇君相二火司天失守感而三虛
又或汗出於心即致神魂逆於上入泥丸
遇火不及黑尸鬼犯之令人暴亡
不出一時可救之四肢冷氣雖閉絶不變色
舌縮如不卵者可救目中神彩不變者可刺
之也
可刺手少陽之所過
手少陽之所過陽池穴也在手表腕上陷者

中手少陽之原也用毫針人身温煖以手按
穴呪曰太一帝君泥丸摠神丹无黑氣來復
其真誦之三遍想赤鳳於穴下刺入二分留
七呼次進一分留三呼復退留一呼徐二手
捫其穴即令復活也

復刺心俞

在背第五椎下兩傍各一寸半用毫針着身
温煖以手按穴呪曰丹房守靈五帝上青陽
和布体來復黄庭誦之三遍刺可同身寸之
七分留一分次進一分留一呼退至二分留

一呼徐徐而出針以手捫其穴也

人脾病又遇太陰司天失守感而三虚

重虚而汗出於脾因而三虚智意二神遊於

上位故曰失守

又遇土不及青尸鬼邪犯之於人令人暴亡

不出一時可救之也四肢冷而身温唇温者

可活之矣曰中无延即名尸厥

可刺足陽明之所過

足陽明之所過衝陽穴也在足跗上骨間動

脉去陷谷三寸足陽明之原也用毫針着人

身溫煖以手按穴呪曰常在魂庭始清太寧
元和布氣六甲及眞誦之三遍先想黃庭於
穴下刺入三分留三呼次進二分留一呼徐
徐退而以手捫之者也
復刺脾之俞
在背第十一椎下兩傍各一寸半用毫針以
手按穴呪曰太始乾位摠統坤元黃庭眞氣
來復遊全誦之三遍刺入三分留三呼進至
二分動氣至徐二出針
人肺病遇陽明司天失守感而三虛

人虚天虚又汗出於肺因而三虚即魂遊於
上故曰失守之也
又遇金不及有赤尸鬼干人令人暴亡
不出一時可救之雖無氣手足冷者心腹温
鼻微温目中神彩不轉口中无涎舌卵不縮
者皆可刺活也
可刺手陽明之所過
手陽明之所過合谷穴也在手大指次指間
手陽明之原也用毫鍼着人体温煖先以手
按穴呪曰青氣真全帝符日元七魂歸右今

復本田誦之三遍想白氣於穴下刺入三分
留三呼次進針至五分留三呼復退一分留
一呼徐二出針以手捫其穴復活也
復刺肺俞
肺俞在背第三椎下兩傍各一寸半用毫針
着体温燰先以手按穴呪曰左元真人六合
氣寶天符帝力來入其司誦之三遍針入一
寸半留三呼次進二分留一呼徐徐出針以
手捫其穴也
人腎病又遇太陽司天失守感而三虛

人虚天虚又感出汗於腎感而三虚即腎神
退遊於黄庭雖不離体神光不聚故失守也
又遇水運不及之年有黄尸鬼干犯人正氣吸
人神魂致暴亡
氣絶四肢厥冷心腹微温眼色不易唇口及
舌不變口中無涎即可救也
可刺足太陽之所過
足太陽之所過京骨穴也在足外側大骨下
赤白肉際陷者中是足太陽之原也用毫針
着人身温煖以手按穴呪曰元陽育嬰五老

及真泥丸玄華補精長存想黒氣於穴下刺
入一分半留三呼𨓜進至三分留一呼徐徐
出針以手捫其穴也
刺足少陽之俞
在背第十椎下兩傍各一寸半用毫針先以
手按穴呪曰天玄日鼎太和昆靈真元内守
持入始清誦之三遍刺入三分留三呼次又
進五分留三呼徐徐出針以手捫之
黄帝問曰十二藏之相使神失位使神彩之不
圓恐邪干犯治之可刺願聞其要

五神失守以明刺法文言十二神之妙用也
岐伯稽首再拜曰悉乎哉問至理道真宗此非
聖帝焉究斯源是謂氣神合道契符上天
人氣動合司天神氣相合由乎盛衰也
心者君主之官神明出焉
任治於物故爲君主之官故心從形有神託
心斯存是故心者神之舍也即真心失守虚
而神不守位即妄遊諸室五神不安而乃令
虚也
可刺手少陰之源

手少陰之源者即是兊骨穴也此是真心之
源在掌後兊骨之端陷者中一名中都用長
鍼口中溫煖刺入三分留三呼進一分留一
呼徐徐出鍼以手捫其穴復蘇也
肺者相傅之官治節出焉
位高為君故官為相傅主行榮衛故治節由
之喘息而自然有多語失節飲冷形寒悲憹
是以肺神不守位即虛也
可刺手大陰之源
肺之源出於大淵在掌後大筋一寸五分間

陷者中手太陰之所過用長鍼以口中温鍼
以手按穴刺入同身寸之三分留三呼動氣
至而徐徐出鍼以手捫穴

肝者將軍之官謀慮出焉
勇而能斷故曰將軍潛發未萌故曰謀慮出
焉怒而氣上遏氣交不前因而神失守神光
不聚可用前法刺之全神守神者也

可刺足厥陰之源
足厥陰之源太衝穴也在足大趾本節後二
寸陷者中迺肝脉所過為源用長鍼便於口

中先濕鍼以手按穴刺可入三分留三呼進
二分留二呼徐徐出鍼以手捫之也
膽者中正之官決斷出焉
剛正果決故官為中正直而不疑故決斷出
焉交動而卒怒怒而不息氣上而不守位使
人中正不利欲成膽嘻神光不聚未有邪干
先可以刺治之者也
可刺足少陽之源
足少陽之源丘墟穴也在足外踝下如前陷
者中去臨泣穴五寸足少陽之所過也用長

於口内溫針先以左手按穴刺可同身寸之三分留三呼進至五分留二呼徐徐出針以手捫之也

中者臣使之官喜樂出焉

膻中者在胷兩乳間爲氣海手厥陰包絡之所居此作相火位故言臣使主其喜樂中及驚喜怒思恐即神失守位使人如失志恍恍然神光不聚邪來干之可用刺法治之正神和也

可刺心包絡所流

勞宮穴也在手掌中央動脉手心主之所流
也用長針於口中溫先以左手按穴刺可同
身寸之三分留二呼徐徐出針以手捫其穴也
脾為諫議之官知周出焉
心有所憶謂之意意中出焉謂之智智周萬
事皆從意智也故知周出焉意有所着欲念
生他想勞意不已智有所存神遊失守　神
元不聚可頭治之者也
可刺脾之源
脾之源在足內側核骨下陷者中是足太陰

之所過爲源用長針於口内温針先以左手按穴刺可入三分留五呼進至三分留五呼即可徐徐而退針以手捫之

胃爲倉廩之官五味出焉

包容五穀是謂倉廩之官勞養四傍故云五味出焉飲食飽甚汗出食飽房室即氣留滯注神遊失守邪干未至可以預治全真

可刺胃之源

胃之源衝陽穴也在足跗上如同身寸之五分骨間動脈上去陷谷穴五寸是足陽明之

所過用長針於口中温針先以左手按穴刺可入三分留三呼進至一分徐徐出針以手捫其穴

大腸者傳道之官變化出焉

傳道為傳不潔之道變化謂變化物之形故云傳道之官變化出焉男子有反之過故大守飢邪非干又以刺法治之即令反却蘇也

可刺大腸之源

大腸之源合谷穴也在手大指次指骨閒手陽明之所過也用長針口中温針刺入

分留三呼進至二分留一呼徐徐出之也

小腸者受盛之官化物出焉

承奉胃司受盛糟粕受元復化傳入大腸故云受盛之官化物出焉受而有異非合不合神失守可刺全眞者

可刺小腸之源

小腸之源腕骨穴也在手外側腕前起骨下陷者中手大陽之所過也用長針於口中温針先以左手按穴刺可入三分留三呼進二分留一呼徐徐出針次以手捫其穴也

腎者作強之官伎巧出焉
強於作用故曰作強造化形容故曰伎巧在
女則當伎巧在男正曰作強人強作過失動
合於三元八正之日故神失守位也故預刺
而可全真者也
刺其腎之源
腎之源出於大谿在足内踝下跟骨之前陷
者中足少陰之所過爲涼用長鍼於口中溫
鍼先以左手按穴刺入三分留一呼進一分
留一呼徐二出鍼以手捫其穴

三焦者决瀆之官水道出焉

引道陰陽開通閉塞故官司决瀆水道出焉决瀆者如四瀆入大海不離其水百川入海只江河淮濟入海不変其道故曰四瀆也三焦决瀆即精與水道不相合也故曰三焦者上中下上焦者主内而不出或非内而即内故不守中焦者主腐熟水穀或情動於中人或非動而動是謂孤動者神失守位下焦者主出而不内或當出而不出者故曰神失守位也

刺三焦之源

三焦之源陽池穴也在手表腕上陷者中手少陽脉之所過也用長針於口中温針先以左手按穴刺可入三分留三呼進一分留一呼徐二出針以手捫之也

膀胱者州都之官精液藏焉氣化則能出矣位當孤府故曰都官居下内空故藏精液若得氣海之氣施化則溲便注泄氣海之不足則閟隱不通故曰氣化則能出矣人若嬲帶便而合氣注膀胱故精泄氣動水道不宣通故

神失守位即可以刺法全真者方知此法大妙也
刺膀胱之源
膀胱之源京骨穴也在足外側大骨下赤白肉際陷者中足太陽之所過用長鍼於口中温鍼先以左手按穴刺可入三分留三呼進二分留三呼徐徐而出鍼以手捫其穴也
凡此十二官者不得相失也
失則災害至故不得相失失之則神光不聚故有邪干犯之即害天命宜先刺以全真也

是故刺法有全神養真之旨亦法有修真之道
非治疾也故要修養和神也
神爲主養之宗故作先也
道貴常存補神固根精氣不散神守不分
內三寶即神氣精一失其位三者皆傷三者
同守故曰元和也
然即神守而雖不去亦全真
神如去即死矣然雖在其體身中而未去者
亦非守位而全真也
人神不守非達至真

神不守即光明不足故要守真而聚神光而可以修真〻勿令泄人爲知道

至真之要在乎天玄

人在母腹先通天玄之息是謂玄牝名曰谷神之門一名神顓一名上部之地户一名人中之岳一名胎息之門一名通天之要人能忘嗜欲定喜怒又所動隨天玄牝之息絕其想念如在母腹中之時命曰返天息而歸命廻入寂滅反太初還元胎息之道者也

神守天息復入本元命曰歸宗

人有諸疾守位之神可入玄中之息而歸命之真全神之道可以觀也

○本病論篇第七十三

黄帝問曰天元九窒余已知之願聞氣交何名失守

六氣升降上下交位以五藏配天地之常

岐伯曰謂其上下升降遷正退位各有經論上下各有不前故名失守也

天元玉冊云六氣常有三氣在天三氣在地也即一氣升天作左間氣一氣入地作右間

氣一氣迁正作司天一氣迁正作在泉一氣
退位作天左間氣一氣退位作地右間氣二
交有合常得位所在至當時即天地交通變
而方泰也天地不交通作病也
是故氣交失易位氣交通變變易非常即四時
失序萬化不安變民病也
於是六氣有升不得其升者欲降而不得其
降者有當迁正而不得迁正者自當其位而
不得位故有如此之分則天地失其常致故
萬民不交也

帝曰升降不前願聞其故氣交有變何以明知
再問窮源用也
岐伯曰昭乎問哉明乎道矣氣交有變是謂天
地機
木欲升上見天柱窒二火欲升上見天蓬窒
上欲升上見天衝窒金欲升上見天英窒水
欲升上見天內窒是故天窒所勝而不前者
但欲降而不得降者地窒刑之
木欲降而地皛窒刑之火欲降而地玄窒刑
之土欲降而地蒼窒刑之金欲降而地彤窒

刑之水欲降而地阜窒刑之地玄窒法天之
象本勝之氣故不降也
又有五運太過而先天而至者即交不前
運逢陽年於有司之至也至後交勝而不過
但欲升而不得其升中運抑之
木欲升而中見金運勝之二火欲升而中見
水運勝之土欲升而中見木運勝之金欲升
而中見火運勝之水欲升而中見土運勝之
者皆遇運太過早至其中而先於氣交而抑
之不前者也

但欲降而不得其降中運抑之

然五運逢太過而先至其中故降而不下中

運刑之抑之不前也

於是有升之不前降之不下者有降之不下升

而至天者有升降俱不前作如此之分別即氣

交之變變之有異常各各不同災有微甚者也

是故上下天地之升降交氣有天窒地窒之

勝尅中運抑伏淺深是故民病微甚異爾也

帝曰願聞氣交遇會勝抑之由變成民病輕重

何如

欲明其變病本源之證也

岐伯曰勝相會抑伏使然

六氣升降迺經論之道也氣交之常也遇會之不常而相投之勝伏抑之成鬱者也

是故辰戌之歲木氣升之主逢天柱勝而不前

辰戌之歲太陽遷正作司天也即厥陰作地而作右間至此歲而升天作左間也又遇司天深計筭位至天柱窒也木欲升天柱金司天土勝之不前也

又遇庚戌金運先天中運勝之忽然不前

庚年金運先天至次後十三日始交司天欲
升而金運抑之也
木運升天金廼抑之
或上見天柱窒或中見金運也
升而不前即清生風少肅殺於春露霜復降草
木乃萎民病温疫早發咽嗌廼乾四肢滿肢節
皆痛久而化鬱
六日不升爲日久也
木發正鬱
至天得左間日廼發作也

即大風摧拉折隕鳴紊民病卒中偏痺手足不仁
青埃見時風疫乃作民反張肢體直强治之
甚三俞也
是故巳亥之歲君火升天主窒天蓬勝之不前
君火以在地三年至巳亥之歲少陰升天作
左間也此可定之也天蓬水司水天元冊用
除䔍至玫宫除其數者即天蓬窒作主司故
水窒勝也
又厥陰木迁正則少陰未得升天水運以至其
中者君火欲升而中水運抑之

即天蓬水司勝即或水運抑之
升之不前即清寒復作冷生旦暮民病伏陽而
内生煩熱心神驚悸寒熱間作日久成鬱
二七日不降以爲日久也
暴熱迺至赤風腫翳化疫溫癘暖作
至天作左間日迺作也民病伏熱内煩痺而
生厥甚則血溢也
赤氣瘴而化火疫皆煩而躁渴二甚治之以泄
之可止是故子午之歲太陰升天主窒天冲勝
之不前

太陰在地二年畢一年廼升天作少陰之左間也此即定矣其天衝窒至有法即不可前定之也如會天衝窒即土不可便升之也故曰升之手前也

又或遇壬子木運先天而至者中木遇抑之也木升升於大寒之日也木早至十三日上故升或遇此二木抑之者土迁抑甚而病深之也

升天不前即風埃四起時舉埃昏雨湿不化民病風厥涎潮徧痺不隨脹滿久而伏鬱

即丁日不升者至以爲日久也

即黄埃化疫也

間氣上鬱之大疫也

民病夭亡臉肢府黄疸滿閉濕令弗布雨化廼微

黄埃起而黄風化疫皆肢體痛而口苦者

是故丑未之年少陽升天主窒天蓬勝之不前

少陰在天三年畢至此歲升天作太陰左間

也此可前定之也天蓬失筭位取之法不定

也或遇之者即水運之可升之於火故不可

便升也

又或遇太陰未遷正者即少陽未升天也水運

以至者

即升天不前者有此二抑之者也

升天不前即寒雰反布凛冽如冬水復涸冰再結暄暖乍作冷復布之寒暄不時民病伏陽在内煩熱生中心神驚駭寒熱閒爭以久成鬱

二七不降以爲日久也

即暴熱廼生赤風氣瞳翳

至天得位之日廼作

化成鬱癘廼化作伏熱内煩痹而生厥甚則血溢

赤氣生而化大疫皆煩而大熱凉藥不可[illegible]

於火之鬱甚於君火故厥乃血溢也
是故寅申之年陽明升天主窒天英勝之不前
陽明在地三年畢至此年升天作少陽左間
也即經論中乃定矣九窒隨天數不足金遇
火窒之可勝之不可升天
又或遇戊申戊寅火運先天而至
太過歲未交司運先至一十三日
金欲升天火運抑之
此者遇一即不可升也或二者同會其抑大也
升之不前即時雨不降西風數舉鹹鹵燥生

地鹹鹵生白見硝而燥生也
民病上熱喘嗽血溢久而化鬱
四九不升火爲日久也
即白埃翳霧清生殺氣民病脇滿悲傷寒鼽嚏
嗌乾手拆皮膚燥
白埃起時殺疫火生民病皆燥而咽乾治可
刺之也
是故卯酉之年太陽升天主窒天内勝之不前
太陽在地三年必此年升天作陽明之左間
也即經論定矣升天即天内從之數法推之

也水遏土窒之司勝之不可升之抑而復鬱
又遇陽明未遷正者即太陽未升天也土運以至
已酉已卯
水欲升天土運抑之
或見天内窒土刑勝之或見土運抑之有一
不勝也
升之不前即濕而熱蒸寒生兩間民病注不食
不及化久而成鬱
十二日不降爲日久也
冷來客熱冰雹卒至民病厥逆而噦熱生於内

氣痺於外足脛痠疼反生心悸懊熱暴煩而復厥
黒埃起至寒復至皆煩而悸厥治之可[illegible]也
黄帝曰升之不前余以盡知其旨願聞降之不
下可得明乎
再欲細明其道也
岐伯曰悉乎哉問是之謂天地微旨可以盡陳
斯道所謂升已必降也
一升至天作左間一年二年遷正作司天三
年退位作右間四年後降也
至天三年次歲必降降而入地始爲左間也

入地作左間一年次歲作遷正司地又次歲
乃退作右間也
如此升降往來命之六紀者矣
三而在天三而在地一歲并從命乎災害先
明其升次窮其降也
是故丑未之歲厥陰降地主窒地皛勝而不前
又厥陰在天三年次年必降又遇地九窒中
地皛西方兑窒金司勝之不可使入其地也
抑之不入乃化成民病也
又或遇少陰未退位

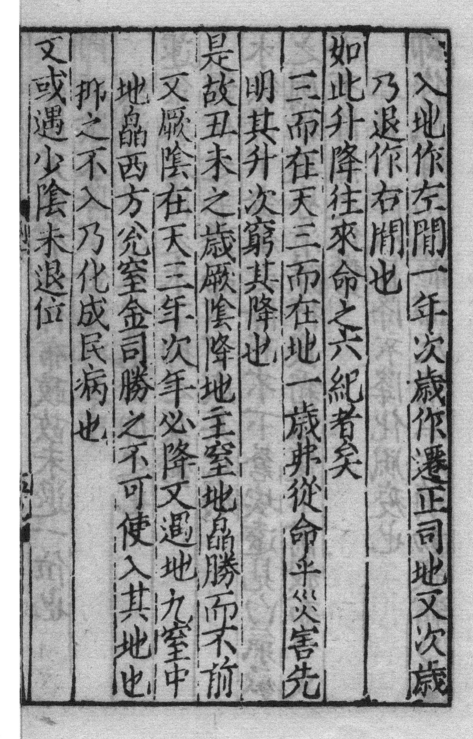

少陰天數有餘作布政故未退一位也
即厥陰未降下金運以至中
或遇乙丑乙未中見金抑之也
運金承之降之未下抑之變鬱
鬱伏之氣降而不下成其民病
木欲降下金承之降而不下蒼埃遠見白氣承
之風舉埃昏清躁行殺霜露復下肅殺布令久
而不降抑之化鬱
三日不降八日降不降化風疫也
即作風躁相伏暄而反清草木萌動殺霜乃蟄

未見懼清傷藏

暄和令節大清殺之復布殺霜蒼埃見時風
復至治之吐而得復不可下
是故寅申之歲少陰降地主窒地玄勝之不入
少陰在天三年四年即降又遇地窒主司地
玄窒水司降而不入抑伏化爲民病也
又或遇丙申丙寅水運太過先天而至
水運太過至其中即少陰降而不下迺成其
鬱與民爲其災也
君火欲降水運承之降而不下即形雲纔見黑

氣反生膻暖如舒寒常布雪凜冽復作天雲慘
悽久而不降伏之化鬱
二日不降七日降不降即鬱發
寒勝復熱赤風化疫民病面赤心煩頭痛目眩
也赤氣彰而溫病欲作也
民昏夜卧不安黃風化度解可泄也
是故卯酉之歲大陰降地主窒地蒼勝之不入
大陰在天三年至此年降入地作少陰左間
也又遇主窒地蒼窒木司勝之不入也
又或少陽未退位者即太陰未得降也或木運

以至

丁酉丁卯

木運承之降而不下即黄雲見而青霞彰鬱蒸

作而大風霧翳埃勝折損廼作久而不降也伏

之化鬱

十日不降爲日久也

天埃黄氣地布濕蒸民病四肢不舉昏眩肢節

痛腹滿填臆

黄風三舉民病温濕皆瘡滿治可大下愈

是故辰戌之歲少陽降地主窒地玄勝之不入

少陽在天三年畢次年下降入地作太陰左
間主地玄室水司勝不入而化民病也
又或遇水運大過先天而至也
丙辰丙戌水運者也
水運承之水降不下即彤雲纔見黑氣反生暄
暖欲生冷氣卒至甚即冰雹也又而不降伏之
化鬱
二日不降七日降不降即鬱發也
冷氣復熱赤風化疫民病面赤心煩頭痛目眩
也赤氣彰而熱病欲作也

民病夜卧不安黄風化瘦解可泄之而愈也
是故己亥之歲陽明降地主窒地彤勝而不入
陽明在天三年次年下降入地作少陽左閒
也又遇土窒地彤窒火司勝之下入即化成
病也
又或遇太陰未退位即少陽未得降即火運以
至之
癸巳癸亥
火運承之不下即天清而肅赤氣𨓍彰瞻熱反
作民皆昏倦夜卧不安咽乾引飲懊熱内煩大

清朝暮暄還復作久而不降伏之化鬱
四日不降九日降不降即鬱發也
大清薄寒遠生白氣民病掉眩手足直而不仁
兩脇作痛滿目𥆧𥆧
白氣豐而殺霜至民皆燥而咽乾鼽衄治可
刺之
是故子午之年太陽降地主窒地阜勝之降而
不入
太陽在天三年次年復降入地作陽明左間
又遇地阜土司勝之不入入者也

或遇土運太過先天而至

甲子甲午

土運承之降而不入即天彰黒氣暝暗悽慘纔施黄埃而布濕寒化令氣蒸濕復令久而不降伏之化鬱

十二日不降者即鬱其發也

民病大厥四肢重怠陰萎少力天布沉陰蒸濕間作

黒氣彰而寒疫至民病皆厥而体重治可益之也

帝曰升降不前晰知其宗願聞遷正可得明乎

晰明也

岐伯曰正司中位是謂遷正位司天不得其遷

正者即前司天以過交司之

日以過太寒日別歲正之初氣未至也

節遇司天大過有餘日也即仍旧治天數新司

天未得遷正也

年即以交即司天之氣未交司故也

厥陰不遷正即風暄不時花卉萎瘁民病淋溲

目系轉〻筋喜怒小便赤

大陽司天天數有餘如退位之日厥陰得治
遷正也
風欲令而寒由不去温暄不正春正失時
雖得初氣天令不傳木氣不伸民廼病肝
少陰不遷正即冷氣不退春冷後寒暄暖不時
民病寒熱四肢煩痛腰脊強直
厥陰司天天數有餘厥厥陰雖有餘日別位司
天皆天數終日始遷正如少陰至二月春分
得位正之時乃造化變便可遷正乃合司天也
木氣雖有餘位不過於君火也

木氣有餘數不尽有餘日復治天治數未終
遇君火得時化春分日便可遷正木猶未退
即可同治於天也其餘氣皆無此也
太陰不遷正即雲雨失令萬物枯燋當生不發
民病手足肢節腫滿大腹水腫填臆不食飧泄
脇滿四肢不舉
少陰司天天數未終故曰太陰不得遷正少
陰數終可得遷正也
雨化欲令熱猶治之温煦於氣亢而不澤
少陰有餘未盡天數故不退位即太陰未得

遷正即土氣不申而民病於脾也

少陽不遷正即炎灼弗令苗莠不榮酷暑於秋肅殺晚至霜露不時民病痎瘧骨熱心悸驚駭甚時血溢

雖有寅申之年土尚治之退位之日火行酷暑於後故湛暑於秋也

陽明不遷正則暑化於前肅於後草木反榮民病寒熱鼽嚏皮毛折爪甲枯焦甚則喘嗽息高悲傷不樂

少陽司天天數有餘如退位日陽明不遷正也

熱化乃布燥化未令即清勁未行肺金復病
雖得卯酉之年猶火化熱之令也故肺重復
受病
大陽不遷正即冬清反寒易令於春殺霜在前
寒冰於後陽光復治凛冽不作雰雲待時民病
温癘至喉閉溢乾煩燥而渴喘息而有音也
陽明司天天數有餘退位日太陽迁正故多
煩燥渴喘者也
寒化待燥猶治天氣過失序與民作灾
雖得辰戌之年猶尚清化治天故失序也

帝曰遷正早晚以命其旨願聞退位可得明哉

岐伯曰所謂不退者即天數未終

天數未終其氣仍治雖遇交司由未退位也

即天數有餘名曰復布政故名曰再治天也即

天令如故而不退位也

此治天下過而不退位猶在天

厥陰不退位即大風早舉時雨不降濕令不化

民病溫疫疵廢風生民病皆肢節痛頭目痛伏

熱内煩咽喉乾引飲

厥陰天數有餘在本數之上司天氣高而災

化善也令作布政而復下災故反甚之者也

少陰不退位即溫生春冬蟄虫早至草木發生民病膈热咽乾血溢驚駭小便赤澁丹瘤瘮瘡瘍留毒

少陰天下有餘過歲而復作布政天令酷災矣

太陰不退位而取寒暑不時埃昏布作濕令不去民病四肢少力食飲不下泄注淋滿足脛寒陰痿閉塞失溺小便数

太陰天下有餘過歲而猶尚治天其氣復下矣病至腎也

少陽不退位即熱生於春暑廼後化冬温不凍
流水不水蟄虫出見民病少氣寒熱更作便血
上熱小腹堅滿小便赤沃甚則血溢
少陽天數有餘至過歳由治天甚則氣復下
其災至脾肺藏也
陽明不退位即春生清冷草木晚榮寒熱閒作
民病嘔吐暴注食飲不下大便乾燥四肢不舉
目瞑掉眩
陽明天數太過至交歳而猶尚治天氣復降
其災至甚於肝藏也

太陽不退位即春寒復作氷雹迺降沉陰昏翳二之氣寒猶不去民病痺厥陰痿失溺腰膝皆痛溫癘晚發

太陽天數有餘至巳亥歲猶尚治天四時失政其災至甚於心藏也

帝曰天歲早晚余以知之願聞地數可得聞乎

岐伯曰地下遷正升及退位不前之法即地土産化萬物失時之化也

即應之生萬物之不時數無次序天令与民作災今乃於上下二干失移之中者也

帝曰余聞天地二甲子十干十二支上下經緯
天地數有迭移失守其位可得昭乎
同天地二甲子有上下不合其德者爲失守也
岐伯曰失之迭位者謂雖得歲正未得正位之
司即四時不節即生大疫
天地不合德即名天地失節即上下二管音
不相應即大不主與天主失節上下失音萬
物不安也
注玄珠密語云陽年三十年除六年天刑計有
太過二十四年

除庚子庚午君火刑金運庚寅庚申相火刑金運戊戌戊辰太陽刑火運也此爲與其天地氣上臨中運不得太過者也

除此六年皆作太過之用令不然之旨此即太過作陽年中運餘也忽有上下失支迭位故不爲者也

今言迭支迭位皆可作其不及也陽年者運太過也五音皆定矣太音也運自勝有餘而無邪傷故名正化疫也其剛干不相對柔干即上下不相招即陰陽相錯天地

不合德中運雖陽多而作太過故有勝復乃
至者也
假令甲子陽年土運太窒
土太過即運傷鱗蟲勝及腎藏氣不及土勝
於水也即黃鐘之管音高故曰太窒也假甲
子之氣應者上應鎮星太而明也
如癸亥天數有餘者年雖交得甲子
甲雖臨子未得遷正
厥陰猶尚治天
年雖甲子司天尚化風冷厥陰猶復布正於

天也
地已遷正陽明在泉
或名司地即㪍高者
去歲少陽以作右閒
癸亥司地少陽退位以作地下之右閒氣者也
即厥陰之地陽明故不相和奉者也
故曰上下不相招陰陽有相錯即癸與巳相
對故天地不合德即以不合甲也
癸巳相會土運太過虛反受木勝故非太過也
何以言土運太過況黄鍾不應太窒木既勝而

金還復金既復而少陰如至即木勝如火而金

復微也

謂少陰見厥陰退位而少陰立至故金欲復

而火至故復有少也

如此則甲己失守後三年化成土疫晚至丁卯

甲子至丁卯四年至

早至丙寅

甲子至丙寅三年至

土疫至也

至於四維時也

大小善惡推其天地詳乎太一又只如甲子年
如甲至子而合應交司而治天
少陰主甲子年司天遷正應時也
即下己卯未遷正而戊寅少陽未退位者亦甲
己下有合也
即甲與戊相對子與寅配位也
即土運非大過而木乃承虛而勝土也金次又
行復勝之即反邪化也
即勝之小而或不復後三年化癘名曰土癘
其狀如土疫者本是自天來癘從地至故反

化邪生也
陰陽天地殊異尓故其大小善惡一一如天地之法旨也假令丙寅陽年太過如乙丑天數有餘者雖交得丙寅
雖丙得寅猶未遷正而作司天
太陰尚治天也地巳遷正厥陰司地
或作在泉
去歲太陽以作右間
乙丑司地庚辰以退位而作右間
即天太陰而地厥陰故地不奉天化也

即上下不相招陰陽有相錯即辛与乙不相合故不合其德也

乙辛相會水運太虛反受土勝故非太過即太簇之管太羽不應土勝而雨化水復即風即天地非其時而有其氣有化大疫即与陰陽復不同也

此者丙辛失守其會後三年化成水疫晚至己巳

丙寅至己巳四年

早至戊辰

丙寅至戊辰三年

甚即速彼即徐
徐至已巳
水癸至也大小善惡推其天地數及太一遊宫
又只如丙寅年丙至寅且合癃交司而治天
少陽至而作司天癃時遷正
即辛巳未得遷正而庚辰太陽未退位者亦丙
辛不合德也
即丙与庚相對辰与寅相配位也即水運亦
太過也
即水運亦小虛而小勝或有復

丙寅至也即無復也

後三年化癘名曰水癘其狀如水疫

一名寒疫

法治如前假令庚辰陽年太過如已卯天數有

餘者雖交得庚辰年也

雖庚臨辰猶未遷正

陽明猶尚治天地以遷正太陰司地

即是在泉

去歲少陰以作右間

已卯年地甲子以退少陰作右間也

即天陽明而地太陰也故地下奉天也乙巳相
會金運太虚反受火勝故非太過也即姑洗之
管太商不應火勝熱化水復寒刑
此天地非時行不節之令即三年始成大疫
行天下也
此乙庚失守其後三年化成金疫也速至壬午
庚辰至壬午三年是其速至
徐至癸未金疫至也大小善惡推本年天數及
太一也
疫至之年又遇失守其災大也不見五福及

其太一且惡死人太半也如卻會合德者災
小亦如見五福与其太一者其災且小善滅
其半也
又只如庚辰如庚至辰且應交司而治天
太陽主寅辰年司天應時遷正而治天也
即下乙未未得遷正者即地甲午少陰未退位
者且乙庚不合德也
即甲庚相對辰午相配此名失守非配太過
即下乙未干失剛亦金運小虛也有小勝或无復
太陰至未即不復也

後三年化癘名曰金癘其狀如金疫也
金疫又名殺疫金癘又名殺癘
治法如前假令壬午陽年太過如辛巳天數有
餘者雖交得壬午年也
雖壬臨午猶未還正
厥陰猶尚治天地已還正陽明在泉
丁酉治地
去歲丙申少陽以作右間
壬午年丁酉還正辛巳年丙申退位也
即天厥陰而地陽明故地不奉天者也

即陽明當上奉少陰不与厥陰奉合也故丁
酉与辛巳不相合德也
丁辛相合會木運太虛反受金勝故非太過也
即㽞賓之管太角不應金行燥勝火化熱復
此天地非時行不節之氣即三年始成大疫
甚即速微即徐
速即首尾三年徐即後三年作
疫至大小善惡推疫至之年天數及太一又只
如壬至午且應交司而治之
少陰壬至午年司天應時而遷正得位者

即下丁酉未得遷正者即地下丙申少陽未得退位者見丁壬不合德也

即壬丙相對午申相配此失守非合德見非大過也

即丁柔干失剛亦木運小虛也有小勝小復

陽明如至即不復也

後三年化癘名曰木癘其狀如風疫法治如前

可大吐而治之

假令戊申陽年大過如丁未天數大過者雖交得戊申年也

雖戊臨申猶未遷正也
太陰猶尚治天地已遷正厥陰在泉
癸亥治地
去歲壬戌太陽以退位作右間即天丁未地癸
亥故地不奉天化也
即厥陰當上奉少陽故不與太陰奉合故丁
未與癸亥不相合
丁癸相會火運大虛反受火勝故非太過也即
更則之管上下大徵不應
非戊癸相合也故火運不應其更則未應其

徵也下管癸亥少徵應之即下見癸亥主司
地故同聲之不相應即上下天地不相合德
故不相應也
此戊癸失守其會後三年化疫也速至庚戌
首尾三年
大小善惡推疫至之年天數及大一又只如戊
申如戊至申且應交司而治天
少陽主戊申年司天應時遷正而治天也
即下癸亥未得遷正者即地下壬戌大陽未退
位者見戊癸未合德也

即壬戌相對申戌相配此失守非合德又非
大過
即下癸柔干失剛見火運小虚也有小勝或無
復也
厥陰至即無復
後三年化癘名曰火癘也治法如前治之法可
寒之泄之
已上五失守変五疫下五失守変五癘也即
上剛柔二干共主運有失支不守之者以此
五法即諸陽年也

黄帝曰人氣不足天氣如虛人神失守神光不
聚邪鬼干人致有夭亡可得聞乎
人氣與天氣同失守即鬼邪干人致死也
岐伯曰人之五藏一藏不足又會天虛感邪之
至也
其不足之藏與天氣同声虛也
人憂愁思慮即傷心又或遇少陰司天天數不
及太陰作接間至即謂天虛也此即人氣天氣
同虛也又遇驚而奪精汗出於心
大驚汗出於心即心中精脉減少故神失守

心也
因而三虛神明失守
先有勞神之病又遇少陰天數不及也又更
驚而奪精此三會而神明失守也
心爲君主之官神明出焉
心先有病又遇天虛而感天重虛也心皆任
治於物故爲君主之官清靜栖靈故曰神明
出焉
神失守位即神遊上丹田在帝太一帝君泥丸
君下

太一帝君在頭曰泥丸君摠衆神地君主之
官神明失守其位遊於此處不守心位
神既失守神光不聚
神光即飛圓光也圓光不潔即圓光缺矣即
鬼邪陰尸于人
邪遇火不及之歲有黑尸鬼見之令人暴亡
其火運不及非只癸年戊年失守亦然火司
天數不及亦然也黑尸鬼形如黑犬頭似婦
人髮逢不髻目大人見之吸人神魂皆作犬
聲卒然而亡

人飲食勞倦即傷脾

即飲食飽舉房事即氣滯於脾以勞役氣滿

悶脾藏有病也

又或遇太陰司天天數不及即少陽作接間至

即謂之虛也

人氣與天氣不及即感天人氣虛及又虛也

此即人氣虛而天氣虛也又遇飲食飽甚汗出

又胃醉飽行房汗出於脾

[illegible]脾胃汗出即精血減少感天虛而作三虛脾

[illegible]神失守其位

內而三虛脾神失守

先有病於脾次遇天虛脾感天重虛又遇汗出而減其精血乃故名三虛也

脾爲諫議之官智周出焉

脾者心之子心有所憶謂之意中所出謂之智智周萬物謂之神即脾胃神意智乃故失守其位者也

神既失守神光失位而不聚也

神光不聚鬼迺干之

却遇土不及之年或已年或甲年失守或太陰

天虛青尸鬼見之令人卒亡人久坐濕地強力
入水即傷腎
汗出於腎即精血藏少故作三虛即精亡心
神失守其位也
腎爲作強之官伎巧出焉因而三虛腎神失守
神志失位神光不聚
神精志三神虛失位遊於黃庭司命君之下
乃即圓光缺矣
却遇木不及之年或辛不會符或丙年失守或
太陽司天虛有黃尸鬼至見之令人暴亡

有此三虛又遇水不及即黃尸鬼干人牛頭
身黃見之時吸人神魂皆暴亡也
人或恚怒氣逆上而不下即傷肝也又遇厥陰
司天天數不及即少陰作接間至是謂天虛也
肝先病又遇天虛而感重虛也
此謂天虛人虛也又遇疾走恐懼汗出於肝肝
爲將軍之官謀慮出焉神位失守神光不聚
神光不聚即圓光缺而不周尸鬼乃干人也
又遇木不及年或丁年不符或壬年失守或厥
陰司天虛也有白尸鬼見之令人暴亡也

有此三虚者即神遊失守白尸鬼干人頤如
雞身白有白毛見之吸人神䰟皆卒然而亡也
已上五失守者天虚而人虚也神遊失守其位
即有五尸鬼干人令人暴亡也謂之曰尸厥
但卒然而亡口中無涎者舌卵卵縮者尸厥
若出涎而舌卵　者盛厥也
人犯五神易位即神光不圓也非但尸鬼即一
切邪犯者皆是神失守位故也
神失守位雖具體中而二氣失位也即神光
不聚而邪犯之有妖魅交通往來皆是五

失守乃邪所至也

此謂得守者生失守者死

得守者本位而五神各得其居即神光乃圓

明而聚矣故一切邪不犯之乃　生也

得神者昌失神者亡

老子云氣來入身謂之生神去於身謂之死

故曰命由神生命生神在即命生神去即命

夭矣所謂神遊失守即不離身故不可便死

也其主管在頭上三尊高位靈主言也即大

一帝君在頭曰泥丸總神也無英君左制三

魄也白元君右俱七魄也即魂爲陽神也
爲陰鬼也若無上三虚主之神離位者死今
五神失守亦有主歸即神光不聚圓光亦缺
故邪干犯之若神失守其位即知人失神昌

黄帝内經素問六篇終

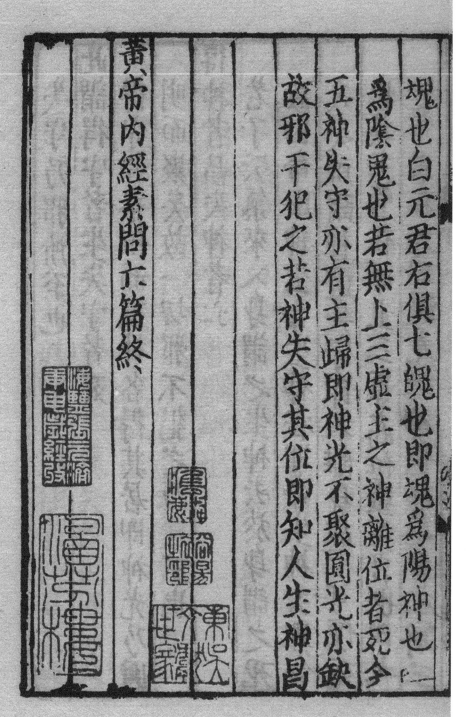